大学1年生の君が、はじめてレポートを書くまで。

川崎昌平

ミネルヴァ書房

焦らずに、
ゆっくり
読んでね。

はじめに

　私は複数の大学で、非常勤講師として、文学や映画史、編集論やデザイン理論などを教えているのですが、最近になって気がついたことがあります。それは、現代の大学生が、つまりあなたたちが——本書の読者の多くが大学生であると推測して、あえてこのように言い換えてみます——とても真面目で、優秀であるという事実です。

　ちっともサボらないし、居眠りもしないし（私の声がすさまじく大きいからかもしれませんが）、講義をしっかりと聞いてくれるし……20年前の自分をふと顧みては、「大学生の頃、私はこんなに真面目だったろうか？」などと反省してしまうほどです。

　したがって、あなたたちが実直な人間として成長し、やがて社会で真面目に生きていく未来を、私は少しも疑っていません。きっとあなたたちは立派な社会人として生活していくでしょう。

　一方でちょっとだけ不安に感じることもあります。それは、あなたたちがアウトプットすることに関して——誤解を恐れずに言えば——少々臆病になっているのでは、という一種の危惧です。ここで言うアウトプットとは思考の言語化を意味します。あなたたちが思い、考えた内容を、他者に対して伝えることについて、あなたたちはもっと積極的になるべきだと……大学にいると私は感じます。あなたたちは、もっと堂々と発信してよいし、もっと自信を抱いてたくさん発表すべきなのです。なぜってあなたたちは、優秀なのですから。

おそらくですが、臆病になってしまう背景には、ネットへのアクセスの利便性が向上したことにより、手に入る情報量が増大したために、「正解」が可視化されたように感じられ……ゆえに「間違い」を拒む意識があなたたちの中に芽生えたからではないかと私は推測しています。気持ちはわかります。正解が情報としてあるのならば、それを選択したくなるのは、自然な心理です。でも、それはとても不幸なことかもしれません。本当は間違えてもよいのです、だって大学生なのだから。間違ったアウトプットをしないと、賢く成長するためのフィードバックを得られません。間違いを積み重ねないと、自分のための正解が選べず、誰かが用意した正解を受けとめるだけの人生になってしまいます。それは……きっと、あまり楽しい人生ではありません。

　大学生であるあなたたちにとって、最も身近なアウトプットは、レポートだと思います。ですから、本書ではレポートを通して、堂々とあなたたちが自分の思考をアウトプットできるようなアイデアを提供します。レポートを書く上での小手先のテクニック論ではありません。また、学部や学科によってレポートの性質は異なりますから、それらを網羅して解説することは、本書ではしません。

　そうではなく、レポートを書くときに何をどう考えればよいかを、本書は語ります。どうすればレポート書く行為が、あなたたちにとって価値のある体験になるかを、述べます。何をすればレポートを書いた後、あなたたちが成長できるかを、教えます。それが本書の役割です。本書を読んだあなたたちが、堂々と、そして楽しく、レポートが書けるようになる未来を、私は約束します。

川崎昌平

登場人物紹介

マナブー

大学1年生。経済学部。勉強も運動も苦手だが、集中力はそこそこある。「みんなから参考にされるようなレポート」を書きたいと思っている。

カコ

大学1年生。文学部。根拠のない自信に満ち溢れた楽天家。せっかち。「教授をアッと驚かせるようなレポート」を書きたいと思っている。

非常勤講師

小さな出版社に勤務する編集者だが、縁あって大学で非常勤講師として教鞭を執ることに。レポートを書くことで、堂々と自分の意見を発信できる学生を育てたいと考えている。

目次

第3章　考える　――問題を発見し、発展させるためには？――

第4章　書く　――自分の考えを正確に伝えるためには？――

序章

── なぜ大学でレポートを書くのか？ ──

　どうしてあなたはレポートを書くのでしょう？　大学で先生に書けと言われたから？　書かないと単位がもらえないから？　なるほど、そうした理由もレポートを書く動機としては確かにあるでしょう。

　ですが、本当のレポートとは……実は他ならぬあなたのために書くべきなのです。レポートを書くことで、あなたは確実に成長します。**大学での学びを深める意味でも、また、その後の社会においてあなたが活躍できる人間になるためにも、レポートはとても役に立つ存在なのです。**

　この序章では、レポートを書くことの本質的な意味について、簡単ですが紹介したいと思います。もちろん「ふーん」と読んでくれるだけで構いません。レポートを書く意義というものは、結局はあなた自身がレポートを書くことによってしか、見つけられないのですから。

0-1　よいレポートを書きたいなら

▋これからレポートを書くあなたへ

　本書をよく読み、よく考えて……そしてよく実践したのであるならば、あなたは必ずレポートを書けるようになります。その未来を前提とした上で、大切な要素について補足させてください。

　どんなことでもそうですが、**未来をイメージする力は、必ずあなたにとってプラスに働きます**。勉強でも運動でも趣味でも仕事でもコミュニケーションでも、何に対しても、です。未来をイメージする力とは、簡単に言えば「将来の自分が、どのように変化するか」を想像する能力のことです。この能力が弱いと、いつも「今の自分」と向き合うことになってしまいます。誰しもそうですが、現時点での自分に対して不安や不満を持っているものです。大学に入学したばかりの頃などであれば、それはもうたくさんあるでしょう。例えば「講義の内容が難し過ぎてチンプンカンプン！」とか「課題がたくさんあって終わらせられない！」とか「レポートを出せって言われたけどどうすればいいかわからない！」とか。でも、安心してください。誰だってそうです。最初から優秀な人間なんていませんから、それでよいのです。

　大事なのは、苦しいときに自分を責めないこと。「私は頭がよくないのかもしれない……」とか「要領が悪いからダメなんだ……」とか「大学、向いてないのかもしれない……」とか、そんなふうに思ってはいけません。

　そういうときは「成長した未来の自分」をイメージしましょう。今はわからない問題を「スラスラ解ける来年の自分」とか、膨大な課題を「涼しい顔で片付けていく再来年の自分」とか、「論文を堂々と書き上げて教授から褒められる卒業間際の自分」とか、困難に打ち克った未来のあなたの姿を、思い描いてください。すると……驚くほど自然にやる気が湧き上がります。

▌レポートを書く自分をイメージしよう

　実は、大学で学ぶために必要な要素は、このやる気だけなのです。私は複数の大学で講師として勤めていますが、どの大学も学生のやる気に応える環境を持っています。学びたい、学ぶことで成長したいと願いさえすれば、大学は最高の空間なのです。そして、それはレポートを書く上でも同じこと。あなたがよりよいレポートを書きたいとやる気になれば……大学は全力で応じてくれるでしょう。そのためにもいち早く「レポートを書く自分」を、そして**レポートを書くことで「賢く成長した自分」をイメージしてください。**沸き立つモチベーションがあなたに宿れば……大学生活はいきなり楽しいものになります。「やらなきゃいけない課題」が「自分を成長させるチャンス」だと思えるようになるからです。

▌レポートと論文の違い

　それから、ひとつ補足として、この段階で「レポート」と「論文」の言葉の違いについて言及しておきます。ひどく簡単に言うと……ここまで述べたように**レポートは「あなたの学びを深めるため」に書くものです。対して論文は「学問そのものを発展させるため」に存在します。**両者はその目的が異なるわけです。学びの順序としてはレポートで学問のおもしろさに触れ、そこから学問のために何ができるかを考え、論文というものを書く……という具合です。難易度は断然論文が上です。レポートはあなたの糧になれば完璧ですが、論文は学問に貢献しなければなりませんから。まあ、最初は焦らず、あなた自身を育ててくれるようなレポートを書くことを目標にしましょう。

0-2　高校までと大学での学びの違い

「なんとなく」大学生になってしまったとしても

　この本は大学生になった皆さんのために書かれたものです。ですので、おそらく読者の方の大半は大学生であろうと推測した上で、序章を進めさせていただきます。

　さて、もし皆さんの中に「なんとなく」大学生になってしまった人がいたら……私は責めません。大学というのは高度に専門的な教育機関であり、各自がそれぞれの専門性に対して明確な目的意識を持ち、進学を志望する……のはとても正しい道筋です。しかしながら、誰もが将来の方向性に対してはっきりとした自覚を持ちながら生きているわけではありませんし、ましてや10代後半は、いろいろと考え、悩み苦しんでしまいがちな年頃ですから、「や

りたいこと」や「未来の目標」をしっかりと見定められないまま大学生になってしまったとしても、何ら不思議はありません。かくいう私も将来のことなど何も考えず大学に進学してしまいました。

でも、別に後悔はありません。「社会に出て何をするか」は大学在学中に見つけたって構わないのです。焦って未来を見定めようとするよりも、これだけ多様な価値観に溢れる現代ですから、ゆっくりとさまざまな意見に触れつつ、「自分には何ができるか」を見つけるのも、私は間違いではないと思います。

▌自発的な学びが大学では重要になる

ですが、「なんとなく大学生になってしまう」のはよいとしても、「なんとなく大学で学ぶ」のは大きな間違いです。高校までの教育は、学生側が特に何もせずとも先生が課題を与えてくれました。それをクリアしていけば自ずと成長できるシステムがあるからです。小学校や中学校での教育も同じです。しかし、大学は違います。**大学においては、最終的な課題は自分で見つけなければならない**のです。もちろん課題などが与えられることはあるでしょうが、本質的な課題──すなわち「自分には何ができて、何をすべきか」──は自分で発見しない限り、学んだことにはならない……それが大学なのです。

高校までの教育と、大学における学問の違いは、そこに尽きます。受け身のままでは許されず、**自分から率先してテーマ（課題）をつくらなければ意味がなくなるのが大学**です。そして本書は、大学生の自発的に学ぶ姿勢を助ける目的のためにつくられた1冊です。本書を読んで、少しでも「自分から学ぼう」と思ってくれる人が増えたら、これ以上嬉しいことはありません。

0-3 レポートは将来の役に立つ？

レポートは自ら学ぶきっかけになる

　さて、前項で「大学においては自発的な学びの姿勢が大切」というような
ことを書きましたが、では「自発的な学び」と本書の主眼である「レポート
の書き方」にはどのような関連があるのでしょうか？

　大学に入学したばかりであれば、レポートは与えられるタイプの課題とな
るでしょう。「やれと言われてやるのだから、高校までの学びと変わらない
のでは？」と思われる方もあるかもしれません。ですが、たとえ課題であっ
ても、**受け身の姿勢では優れたレポートは書けません**。言い換えれば自発的
な学びの材料にするチャンスが、レポートにはあるのです。

▍レポートを書くことで課題が見えてくる

優れたレポートは、単なる「調べたことをまとめただけのもの」ではありません。調べた上で自分の意見を述べ、なおかつ新しい思考を提案するものが、よいレポートです。そうしたタイプのレポートの効果は、「次の課題を明確にする」ところにあります。現状を分析し、自分の意見を構築し、何がわからないのか、何を知りたいのかを明らかにしてくれるレポートは、他でもない書いた当人に、次のステップを明示してくれるのです。つまり、**よいレポートはより大きな課題を発見するための階段を築いてくれる**わけです。それを積み重ねていくと、自ずと自分独自の学びが成長するようになります。

▍レポートを書く力は社会でも役に立つ

レポートを書くことで「自分で課題を発見する能力」を磨けば、それは社会に出ても通用する力となります。社会は大学以上に受け身が許されない環境です。やれと言われたことをただやっているだけだと、会社や組織にこき使われる人間……いわゆる社畜になってしまいます。それは辛い生き方ですし、何より楽しくありません。ところが、課題発見能力を育てておけば、どんな状況にあっても「何をすれば今の状況を変えられるか」や「何を伝えれば相手が自分をわかってくれるか」などが見えるようになります。すると、自分のやりたいことを提案できるようにもなり、受け身の人生ではなくなるわけです。どちらが楽しい生き方であるかは……言うまでもありません。

本書を読んで、レポートをよりよく書こうとする大学生が増え、彼や彼女らが社会に出たときに、率先して自ら意見を述べるような人間になってくれる未来を、私は願っています。

第1章

学ぶ

── 課題を自分で見つけるには？──

　この章では、レポートを書くだけでなく、大学においてよりよく「学ぶ」ための基礎を解説します。**どう「学ぶ」か、何のために「学ぶ」かなどを理解していないと、どれほどレポートの書き方を教わったとしても、単なる小手先のテクニックを身に付けただけで終わってしまいます。**文章が上手に書けたところで、「学ぶ」意図がそこにないと、そうしてできあがったレポートは、綺麗に要点をまとめただけの文章であったり、調べたことを並べただけの読み物であったりと、「学ぶ」姿勢を深めるものにはなりません。

　自分でせっかく「学ぶ」以上、自分を成長させるようなレポートを書けたほうが、大学での生活はもちろん、必ず社会に出て役に立ちます。意味のあるレポートを完成させるためにも、まずは第1章でどのように「学ぶ」スキルを上達させるかを考えていきましょう。

1-1 学びのコツ

▌自分ならどうするかを考えてみよう

　ただ座って講義を聞いているだけでは退屈ですし、おもしろくありません。**大学における学びにコツがあるとすれば、それは「自分ならこうする」を常に意識すること**です。もちろん、ひたすらノートをとって覚えることが大切なタイプの講義もあるでしょう。そうした場面では与えられた情報に対して「なぜそうなるのか？」と疑問を持つようにしてみてください。そうすれば、同じ座学でも頭に入ってくる情報の質が変わってきます。

好奇心を失わないように

「自分ならこうする」や「なぜそうなるのか？」といった姿勢は、好奇心の発露と言い換えてもよいかもしれません。好奇心は学びにとって不可欠の素養です。それを失ってしまうと、大学で出会う未知の情報や異質な意見などが、たちまちつまらないものに聞こえてしまいます。**好奇心を育むコツは、与えられた情報に満足しないこと**だと私は思います。特にネットメディアから発信される情報には、意図的に不満を覚えるようにするのもおすすめです。「本当なのかな？」とか「こう書いてあるけど一方的な見方ではないだろうか？」とか「別の角度から考えてみたらどうなるかな？」とか、満足しないための読み方はたくさんあります。

ネットの情報を過信しない

ネットで手に入る情報は、なんと言ってもスピーディーですし、スマホなどの普及によって誰でも簡単に読める点も重宝します。一方でその速度と簡易性ゆえに情報としての精査が済んでいるかと言えば疑わしいものもあります。例えば Wikipedia は大変便利な情報源かもしれませんが、そこにある多くの文字情報はユーザーの善意で形成されています。言い換えればお金をもらって特定の組織や個人が責任をもって監修しているわけではないため、そこにはミスがある可能性も否定出来ないのです（もちろん、善意の結果ですから、ミスを責めることはできません）。Wikipedia に限らず、**ネットの情報はあくまでも「完全に正確ではない情報」として受け止め、そこから先、より詳細な文献を調べて、「本当に正確な情報」を探るクセをつけましょう。**そのプロセスそのものが、好奇心を育てる有効なトレーニングとなるのです。

1-2 メモのとり方

思考のヒントとなる言葉をメモしよう

レポートを書く上で、メモをとる作業は欠かせないものです。資料を読んでどこにポイントがあったか、講義を聴いてどこが重要だったのか、そうした要素を文字通りメモリーしてくれる存在、それがメモです。

でも、ただ**単に目にした文章や耳に入った言葉を書き残すだけでは、メモとしての効果は強くありません。**大切なのは読み返したときに思考が呼び覚まされるメモであること。思考の礎となる言葉がそこにあることなのです。

▌メモは短い言葉で！

　では、どのようにすれば思考の材料となるメモがとれるかを考えましょう。コツは**メモに記された言葉が、情報のインデックスになっている**こと。インデックスですから、メモ自体の情報量は非常に少なくて構いません。例を挙げるとこんな具合です。

A：吉良星太郎、『メチャわかる！現代の論理学』→ 123 頁、7 行目

B：×反知性・主義　〇反・知性主義

C：衆愚→本当に何も考えていないのか？

　Aは著者名、書籍名（どちらも架空のもの）、頁数と行数を記したものですから、「ここを読め！」というメモ。Bは言葉の意味を整理した「間違えるなよ！」というメモ。Cは自分の思考を短くまとめた「こんなアイデアはどうだ！」というメモ。

　それぞれ役割は異なりますが、いずれも後でレポートを書くときには重宝します。Aで資料を読み返し、Bで言葉の誤用を回避し、Cで思考を煮詰めていく……もしメモする段階で何もアイデアが沸かなければ、AやBといった資料や知識となる情報のメモだけで問題ありません。思考はレポートを書く際にすればよいわけです。思考は大切ですが、より深い思考のためにメモをとるわけですから、必ずしもメモと思考は同期していなくともよいのです（もちろん、してもよいのですが）。

　まずは、レポートを書く際に「**何から考える（読む・調べる）べきか**」を**教えてくれる簡潔な言葉**となるようなメモを目指してください。

1-3 ノートのとり方

書き写すだけでは意味がない

　メモのとり方に続いて、今度はノートのとり方です。**教授や講師の使うスライドや板書をただ漠然と書き写すだけでは、ノートをとる意味は薄くなります。**人によっては膨大な情報をすさまじい速度で学生に見せてくるタイプもいるため、ついつい書き写すのに忙しくなってしまうこともありえないとは言えないでしょうが、ただの転写となってしまっては、後々見返して講義中の情報を確認する役には立つものの、そこから思考を産むのが少々しんどい……であるならば、どのようなノートなら効果的なのでしょうか？

思考を整理するノートの書き方

　下図は私の講義を聞いた学生がとったノートです。学生はその後、とても優れたレポートを書きました。その理由が、このノートには隠されています。

『坊っちゃん』

・著者は夏目漱石

・明治 39 年発表

明治 30 年に松山で創刊。
主宰は柳原極堂。

・発表した媒体は俳誌「ホトトギス」

・一人称「おれ」で書かれた小説

『吾輩は猫である』も
この雑誌で発表された。

・主人公の名前は明らかにならない

なるほど。
ただ書き写す
だけじゃなくて、

矢印の先にも
メモを書いて
いるんだね。

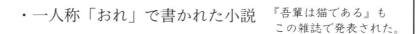

・一人称「おれ」で書かれた小説　　『吾輩は猫である』も
　　　　　　　　　　　　　　　　　この雑誌で発表された。

・主人公の名前は明らかにならない

主人公の名前がないのはなぜだろう？
「おれ」が一人称ってラノベみたい!?
『涼宮ハルヒ』シリーズも主人公の名前が
明らかにならないし、一人称が「俺」だなあ。

こうやって、
自分の思考をメモ
しているのね。
真似しようっと。

レポートで自分の
「意見」を書く
ときに使えそう。

「気づいたこと」や
「わからないこと」を
メモしておけば、後で
調べるときに便利だね。

■ 「何がわからなかったか」を記録する

　講義で私の話を聞いて、たちどころにすべてを理解する……のは難しかっ
たのでしょう。私の言葉が足りなかったり、私の説明が悪かったりしたのか
もしれませんから、この学生に責任はありません。ですが、このノートのよ
いところは、そうした「わからなかったこと」がしっかりと記録されている
点です。「わからなかったこと」をそのままにしていては、学ぶ機会はどん

どん失われてしまいます。「わからなかったこと」はその時点でわからなかっただけであり、学ぶ途中の人は誰しもがそうです（最初からすべてわかっていたら、大学になんて来る必要がないのですから）。**大切なのは「何がわからなかったか」をノートに記せば、何を調べるべきかのヒントが得られるということ。**これをしないと、書いた当人にとって意味のないノートになってしまいます。

▌自分の思考を書き残す

　左図には記されていませんが、この学生は「何を考えたか」もノートに書いています。読むと、「私はそうは思わない」とか「この観点で家の本棚にある小説を読み返してみたらおもしろいかも」とか、講義内容から着想した思考の軌跡をそのままノートに残しています。実はこれが大変有効で、レポートを書く際にノートを読み返したときに、「どこから考えを深めるべきか」や「どんな結論に向けて思考を重ねたらおもしろいか」などのアイデアとして使えるのです。**ノートはムリをして講義内容をまとめようとしなくても構いません。ひらめきを重視した思考の断片であってもよいのです。**

▌ノートはレポートの設計図になる

　このように、優れたノートは思考をまとめ、その後にレポートを書くための設計図となることがわかります。自分が何に興味を抱き、何に疑問を持ち、何を思考したかがわかるノートは、読み返すのも楽しいですし、それ以上に新たな思考を書き出すための強力な材料となります。自発的な学びのためには、ノートは欠かせません。

1-4 問題意識の育て方

課題を自分で見つけるために

　メモのとり方、ノートのとり方がわかったら、次はいよいよ調べ方……となるのですが、そちらは第2章で詳述します。ここからは別の準備の方法を解説しましょう。序章でも述べたように、自分で課題を発見できる能力が、レポートを書く上ではとても大切です。**「教授の言うとおりに調べました」では、本当の意味で価値のあるレポートにはなりません。**

22

■「今あるもの」を疑ってみる

　疑問は学問の出発点とも言えます。「どうしてこうなんだろう？」、「なぜこうなっているのだろう？」といった着眼点が、研究の土壌となり、学問を成長させてきた歴史があります。

　疑問は、ただ漠然と情報を受け止めてしまうと、なかなか生まれにくいものです。最初のうちは、意図的に疑うクセをつけてみるのもいいでしょう。

> A：どうして海は青く見えるんだろう？
>
> B：消費税増税は庶民の生活を苦しめるって言うけど、本当にそうかな？
>
> C：今の時代って本当に平和なのかな？

　自然現象、社会における言説、あるいは個人が感じている漠然とした空気……疑おうとすればいろいろなものが疑えます。もちろん、単なる反感や不平不満を言語化しただけではダメです。負の感情と疑問は別のものであることは忘れないようにしてください。

■疑問を問題意識に発展させる

　疑問は、それだけでは課題発見にはつながりません。**大事なのは、疑問からスタートして、解決する方法を模索する姿勢です**。「なぜこうなっているのか？」からはじめて「どうしたらこうならないだろうか？」とか「こうすれば変わるのではないか？」と先に進むような問題意識を育てましょう。現状への疑問から未来への解決を思考することで、はじめて「そのためにはこれをやらないとダメかも……」というふうに、課題が明らかになるのです。

1-5 テーマを決める

問題意識を言葉にしてみよう

「これはよくないんじゃないか」、「このままだとダメだと思う」、「こうしたらもっとおもしろくなるかも」……そういった疑問から生まれた問題意識が自覚できるようになったら、それをそのまま言葉にしてみましょう。**問題意識を正しく人に伝えられる言葉は、それ自体がレポートのテーマとして機能します。** 逆に言うと、言葉にできないうちは、ただの愚痴や文句と変わらないものになってしまいます。問題意識が熟していないのかもしれません。

24

疑問からテーマまでの思考のフロー

　下記は前項で説明した疑問の発見から、問題意識の醸成、そしてテーマの構築までの流れを、例として示したものです。

> 疑問：なぜ石川啄木の歌は三行で表記されるのだろう？
>
> 問題意識：三行で「見せる」ことに意味があったのかも？
>
> テーマ：「石川啄木と詩の視覚表現性」について考えてみよう

　有名な石川啄木の歌は、どれも一首三行で書かれています。そのことに着目し、それがなぜなのかを疑問として抱いています。そして、三行で表現した意図を問題意識として仮説を立て、テーマを導いている……という流れが上の例では示されています。重要なポイントは、疑問から問題意識に至るまでの思考です。疑問を抱けていなければ、問題意識が深まりません。メモやノートを読み返し、自分が何に疑問を感じていたか、そこから何を考えていたか、などを繰り返し読み直して、思考を整理するようにしましょう。このプロセスを雑にしてしまうと、優れたレポートにはなりません。**テーマに至る流れが弱いと、主張の薄い問題提起に留まってしまうレポート、あるいは誰かが用意したテーマを借りてきただけのレポートになってしまうのです。**

テーマはふわっとしていてもよい

　次項で詳述しますが、問題意識から生まれたテーマ自体は、レポートを書こうとする上では、曖昧であったり、大きすぎてピントが鈍かったりしてもかまいません。テーマを考える姿勢こそが、この段階では大切なのです。

ゴールをイメージする

レポートは大きな結論を言わなくてもよい

　テーマはレポートを書く上では必須ですが、テーマが導く問題提起に対しての解答は、必ずしもなくてはならないものではありません。難しいテーマ、さまざまな意見が対立しているようなテーマの場合、それほど簡単に答えが用意できるわけはありませんし、レポートでそこまで大きく振りかぶる必要性もありません。**むしろ、安易に結論を急ぐと、かえってレポートの質を低くしてしまいます。**何も言っていないのも同然のレポートは論外ですが、ムリをして何かを言おうとするあまり、根拠やリサーチが雑になってしまっているレポートもまた、よくないレポートなのです。

■ レポートを「書いた後」へのイメージを持つ

　したがって、レポートを書く上では結論への意識はそこまで強く持たなくてもよいでしょう。むしろ、イメージするべきはレポートを書いたあなたが、どのように変化するか、です。

　変化は、あなたの学びにおいても、あなた自身においても発生します。例えば、リサーチによって新しい着眼点を得たり、知識が増えたことによって新たな対象への興味が湧き上がったり、今まで1パターンしかなかった考え方に複数のルートができたり……そんな変化が、レポートを書くことで得られるようになります。そうした変化が、きっと自分に起こるはずだと思うこと、それがゴールをイメージすることの基本となります。

■ レポートを「書く前」に目標を設定しよう

　とは言え、最初から「レポートを書いた後の自分をイメージする」のは難しいでしょう。ここまで読まれた方も「うーん……でもそれってどうやるの？」と思われたかもしれません。ゴールしたこともないのに、ゴールをイメージする作業なんて、難しいのは当然です。

　ですから、**慣れないうちは、レポートを書く前に「書いた後にこんなふうに変わっていたらいいな」と思える、実現可能な目標を用意するようにしてみてください。**例えば課題が指定する分野の、「固有名詞をその意味や関連まで含めて、10個は理解しよう」とか、「課題に関連する書籍を5冊は読み切って、内容を語れるようになろう」とか、「次のレポートにつながるように、書くリズムを手に覚え込ませよう」とか……。そこを考えることで、既にレポートを書く準備がスタートしているとも言えます。がんばりましょう。

1-7 レポートの形を決める

▌レポートの役割を決めておこう

　ここで言う「レポートの形」とは、用紙サイズや文字数などを意味するものではありません。もっと抽象的なニュアンスです。わかりやすく言えば……前項の「ゴール」の話に似ているかもしれませんが、**あなたがこれから書こうとするレポートが、あなたにとってどんな役割を持つものになるかを決めよう**、という意味になります。

役割を知ればレポートは書きやすくなる

　役割を決める、あるいは考えることは、実はレポートを書く上で、とても大切な準備作業です。ここを忘れてしまうと、レポートが単なる課題と感じられてしまうようになり、書くのが苦痛になったり、めんどうになったり、手を抜きたくなったりしてしまいます。そうなるともう、よいレポートは書けません。

　では役割はどう決めればよいのでしょう？　あなたがレポートを書く前に、あなた自身に問うてみてください。「このレポートは、私の大学生活においてどのような役割を持つのか？」と。その答えには、もちろん「講義で単位をもらうための役割」とか「不可を可にしてもらう補習的役割」とか、即物的なものもあるでしょう。ですが、もう一歩踏み込んで、自分にとっての役割をより深く考えてみてください。「このレポート、書くのはとても大変だけど、あやふやなままで済ませている知識をしっかり整理する役割があるかも」とか「やってみたい研究があるけど……自分にそれができるかどうかをテストする役割を果たしてくれそうだ、このレポートは」とか、そんなふうに。そうした自分のための役割を理解した上で、レポートを書き進めれば、途中で苦しんだり迷ったりするタイミングが、ぐっと減ります。**「何のために」という役割への意識が、レポートを書くことの意義を、あなた自身に教えてくれるからです。**

　そして、その役割を自覚的に定めること、それが「レポートの形」を決めるという言葉の意味になります。レポートに言葉という水を注ぐのはあなたですが、水を湛える器の形すらも、自分でデザインできるようになれば、あなたは誰もが驚く優れたレポートを書けるようになるはずです。

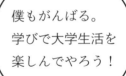

大学は就職するための
修行の場所なんかじゃ、
ないからね。学ばないと、
大学の価値そのものが、
なくなってしまうんだ。

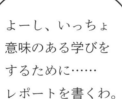

ふたりとも、立派。
そう思えただけでも、
学びはスタートして
いるんだよ。

よーし、いっちょ
意味のある学びを
するために……
レポートを書くわ。

僕もがんばる。
学びで大学生活を
楽しんでやろう！

第 2 章

調べる

── 自分の考えの基礎を築くには？──

　レポートを書くためには、まず「調べる」ことが大切です。この章では、どのようにすれば「調べる」が可能になるか、どういった「調べる」が、より優れたレポートを書く材料になるかを語っていこうと思います。

　「調べる」を疎かにしてしまうと、レポートはたちまち破綻します。誰かの意見を真似しただけのレポートはすぐにバレてしまう時代ですし、何よりそんなことをしてしまっては、レポートを書くあなた自身の成長につながりません。ですから、的確に、かつ効果的な「調べる」を、レポートを書く前の段階でしっかりと学習しておきましょう。「調べる」作業は、最初のうちは苦痛に思えるかもしれません。ですが、慣れてくるととてもおもしろい作業になります。いろいろな文献や論考との出会いは、あなたのレポートだけではなく、あなたの未来そのものを豊かにしてくれるはずです。

図書館の使い方

■ インターネットでの「調べる」には限界がある

レポートを書くための調べものを、インターネットに頼る姿勢は、決して間違いではありません。テーマの現代的な問題点、最新のデータなどは、確かにインターネットを使えば簡単に見えてくるでしょう。しかしながら、インターネットには弱点があります。それは「過去の言葉や思考」があまりカバーされていないという性質です（もう少し時間が経てばその欠点も修正されるとは思いますが……）。「インターネットを調べてみたがなかった」ことでも、「20年前に刊行された書籍に詳しくまとめられていた」というような事態はよくあります。インターネットは、決して完璧ではないのです。

■「すぐに手に入る情報」以外を見つけるために図書館に行こう

レポートを読む（採点する）先生たちは、当然ですが過去の書籍をよく読んでいます。したがって、インターネットだけで調べた結果をレポートにまとめてしまうと、「『○○○○』は読んだかね？　君が見つけた問題点はその本の中で既に議論されているよ」と言われてしまうでしょう。丁寧に調べて書いたはずのレポートが「数十年昔に同じことが書かれている」と片付けられては悔しいものです。ですから、そうならないためにも、**レポートの基礎である「調べる」をするときは、まずは図書館に赴いて、過去の文献にしっかり触れるようにしましょう**。どんな文献が図書館にあるのか、などについてはインターネットを使って下調べをしておくのは悪くありません。

■図書館は「目的以外の本」と出会う場所

図書館は本を探す場所であると同時に、本と出会う場所でもあります。目的の本が見つかったら、今度はその本が置いてある棚に注目しましょう。例えば「幼児教育について調べたい。○○先生の『3歳までの国語教育』が図書館にあるらしいから探そう」と図書館へ向かい、無事にその本が見つかったとします。あなたはそこで安心してはいけません。○○先生の本の隣近所には、必ず別の著者が書いた幼児教育についての本があるからです。多くの図書館は、学問領域やジャンルによって同種の本が集まるように設計されています。ですから、ピンポイントに**探していた本を求めるだけではなく、その本の近くにある他の本にも目を向けるようにしましょう**。そうすれば、あなたの「調べる」は飛躍的に広がりを見せるようになります。レポートを書く上でも「それしか調べてないの？」と呆れられることがなくなります。

第2章　調べる――自分の考えの基礎を築くには？――

35

2-2 縦方向に調べる

過去の文献を丁寧に読む「縦方向」スタイル

　図書館の基本的な使い方を学んだら、次は「どのように本を探すか」を考えてみましょう。例えばあなたが「デザイン」について調べたいとします。図書館に行き、「デザイン」に関連する書籍がたくさんある棚を見つけたら……まずはそこにある「最も古い本」を探してみてください。

　本の刊行年は、奥付と呼ばれる本の最後の方にあるページに必ず記されています。そこを参照すれば、その本がいつ刊行されたものかわかります。

本をいくつか手にとってみて、「最も古い本」が見つかったら、次はもう少し新しい時代の本を、その次はさらに時代が進んだ本を……というふうに本を探してみましょう。そうして下のような具合に本が集まったら、「縦方向に調べる」準備は完了です。

A：生きのびるためのデザイン　（ヴィクター・パパネック、阿部公正訳、晶文社、1974 年）

B：誰のためのデザイン？ 認知科学者のデザイン原論

（ドナルド・A・ノーマン、野島久雄訳、新曜社、1990 年 ）

C：デザインってなんだろう？　（松田行正、紀伊國屋書店、2017 年）

■ 過去を調べれば「深い」視点が手に入る！

もしかしたらあなたは「今のデザインについて調べたいのに……古い本には昔のことしか書いてないんじゃあ……」と不安に思うかもしれません。実際、その通りで、例に挙げたAやBは、だいぶ昔に書かれた本です。多少は未来の話も書かれているかもしれませんが、現在の話はどこにもないでしょう。

ですが、それで構いません。**古い本を読めば、あるテーマが過去においてどのように語られ、論じられてきたかがわかる**のです。過去の思考を知ることで、現代において見落とされていた視点を手に入れられるかもしれません。あるいは、現代にも応用可能な価値観を見つけられるかもしれません。

また、例に挙げたようにA〜Cと**時代を追うように文献を調べることで、あるテーマの意味性が過去から現代においてどのように変化したかがわかる**こともメリットです。この方法をマスターすれば、「調べ方が浅い」と言われてしまうようなことには、決してならないでしょう。

横方向に調べる

現在の文献を分析的に読む「横方向」スタイル

　あるテーマが過去においてどのように論じられてきたかを図書館や書店な
どで調べられたら、次は現代に目を向けてみましょう。そのテーマが今、ど
のように論じられているかを調べるという意味です。**具体的には図書館や書
店で、同じ時代に書かれた本を探してみましょう。**すると、相反する意見も
あれば、同じように見えても結論が異なる意見、結論は同じだが論拠がまる
で違う意見など、多様な種類の議論が存在することがわかるはずです。

■調べるときはニュートラルな立ち位置を意識する

　そうした**異なる複数の意見を調べるコツは、調べる段階では特定の意見に与さないということ**です。あらかじめ自分で用意した結論のようなものにとらわれてしまうと、視野が狭くなってしまいます。「自分の意見」はもちろん大切ですし、論文を書くならば「仮説」や「推論」も重要です。しかし、レポートを書くためには、最初は何よりも「いろいろな意見」を吸収する努力を心がけましょう。

■慣れないうちは自分の興味関心を大切に

　現代ではさまざまなメディアで他者の意見に触れることができます。書籍や雑誌だけではなく、ネット上にもたくさんの文章化された思考があるものです。過去の文献であれば、時代の流れが批評の役割を果たすことで「これは読んでおかないとダメ」とか「この本はすごく勉強になる」とか、いろいろと指針が示されます。しかしながら、同時代のテキストには、まだ優劣はありません。例えばあなたがある映画に関するレポートを書こうとして、現代における意見を探したとします。あなたが出会った意見の中には、高名な学者の書いたテキストもあれば、匿名の映画マニアが記した文章もあるでしょう。その映画をたまたま観た、さして映画には造詣が深いわけではない高校生の感想文などにも出会うかもしれません。それらを前にしたら、まずはそれぞれの意見の特徴をあなたは分析してみましょう。その上で「この人は膨大な資料を背景に論じている」、「こっちは感想だけど他の人とは違う部分に注目している」、「この文章は誰に語ろうとしているかがわかりやすい」などなど、**複数の思考の着眼点を洗い出せば、レポートの材料となる**のです。

2-4 偏らないように調べる

■一方的な思い込みでレポートを書いてはいけない

　何かを調べていると、その調べている対象に影響を受けることはよくあります。Ａという本では「○○はよくない」と書いていて、Ａが参照した過去のＢという本でも「○○は未来に悪影響を及ぼす」と論じられていて、Ａを褒めるＣという評論家が最近もてはやされているのを知り……となると、調べているあなたもいつしか「○○はダメ！」という気持ちになってしまうかもしれません。ですが、ひとつの考え方に支配されるのは、危険です。

40

▌常に調べた内容に疑問を持つように意識する

　前項でも述べたように、**特定の意見に与しないように意識することは、調べる上でとても大切です。**ともすると調べるのに夢中になってしまって、あるひとつの意見に思考が流れてしまう……ことは、確かによくあります。大学生のように、知識を集めはじめた段階では、そうした偏りは、ある面では避けては通れないものかもしれません。後述しますが、特に現代では、インターネットにおける言説の読み方なども深く影響し、情報の収集過程において、偏りが生まれてしまうのは、ある種の必然と理解しておく必要もあるかもしれません。

　ですが、調べる段階で偏りがありすぎると、結果的にそこから導かれる思考や、それをベースとして書かれるレポートなどが、視野の狭いものになってしまう危険性が生じます。そうならないためにも、調べながら「○○に否定的な意見が多いけど……○○を肯定する意見はないのかな？」とか「○○反対という立場の意見に対して、あえて反論するとしたらどのような切り口が見つけられるだろうか？」とか、自分自身で疑問を持つように意識してみましょう。そうすれば、無自覚に偏ってしまう状況を、少しでも改善することができるようになるはずです。

▌偏りに気づけないと……未来の可能性が狭まってしまう

　何より危ないのは、偏った調べ方により、いつしか偏った思考に支配されてしまうことです。学問は対象の白黒を決めるための存在ではありません。対象へのより広い視点と考え方を尊重するものが、学問です。それを忘れてしまうと……あなたにとって学問が狭く苦しいものになってしまいます。

2-5 文献の読み方

慌てて読まない

　図書館やネットを利用して出会った文献——それが書籍であった場合、なおかつ複数である場合——の読み方は、どのようにするべきでしょうか？ **一番危険な読み方は、目次を眺めてレポートに関係しそうな部分だけを紐解いて、そこだけを読んでしまう「つまみ読み」と呼ばれる方法です。** そうした読み方は、必ず浅い理解にとどまってしまうのです。「何冊も読む時間がないよ！」と思う人もいるかもしれません。ですが、つまみ読みをしてしまい、結局正しく理解しないまま文献に触れた気になってしまっては、そっちのほうが時間の浪費です。時間がない人であればなおのこと、じっくり腰を据えて、その文献を最初から最後まできちんと読むようにしましょう。

早く的確に読むために

それでも「時間が惜しい！」という人は、メモをとりながら読むようにしてみましょう。おもしろいと感じたところ、知らなかったところ、別の文献に言及しているところ、過去や同時代の意見を参照しているところ……レポートに関連しそうな部分を逐一メモしていく読み方です。「えっ？ そんな事をしたら余計に時間がかかるのでは？」と思われるかもしれませんが、違います。優れた文献であるほど、読むことそのもののおもしろさがあるため、何度も読み返してしまうものなのです。それは文献と向かい合う楽しさのひとつであるため、推奨したい方法ですが、レポートには概ね提出期限というものがあります。**メモをしながら読めば、読み返さずとも要約されたテキストが自然とできあがる**ことになります。

理想は何度も読むこと

ひとつの文献を繰り返し読むと、理解をさらに深めることになります。レポートの提出期限に余裕があるならば、じっくりと何度もその文献を読む練習をしてみましょう。最初は見落としていたおもしろさに、二度目は気がつくはずです。三度目は文献に対して自分なりの意見を見いだせるようになります。四度目あたりから書きたい欲求が湧き上がってきます。つまり、再読性のあるテキストは、読者であるあなた自身を鍛えてくれることになるのです。レポートを書く力の基礎が「調べる」にあるとすれば、文献を読むことは、まさしく基礎のための基礎、レポートを書くための土台を築き上げてくれます。めんどうに感じるかもしれませんが、確かな土台の形成が、一番の早道だと思います。

2-6 論文の読み方

まずは論文を探してみよう

　前項では特に書籍を想定した「文献の読み方」について語りましたが、ここでは「論文の読み方」を詳しく考えていこうと思います。近年は論文のデータ化も進み、ネット上で出会える論文の本数も飛躍的に増加しています。国立情報学研究所の「CiNii」（https://ci.nii.ac.jp/）や「学術研究データベース・リポジトリ」（http://dbr.nii.ac.jp/）、Google Scholar（https://scholar.google.co.jp/）なども便利です。レポートの内容に関連しそうな論文を見つけることは、学会誌や専門誌などを大量に手元に置かないと見つけられなかった時代と比べれば、だいぶ容易になったと言えるでしょう。

■論文の目的がどこにあるのかを理解しよう

　さて、**どんな論文もまずその序文に目的が記されています。そこを読めば誰でも「その論文が何のために書かれたものか」が理解できるというテキストです。**ここをまずは読むようにしましょう。

　優れた論文であればあるほど、「どのような先行研究の上に成り立っているか」がわかるものです。論文はポッと自然と生まれるものではなく、ある研究領域で積み重ねられてきた知見をベースとして書かれます。したがって、よい論文にはちゃんと「誰が・いつ・どのような研究をしたか」が明記されています。その上で検証したり反論したり新たな発見を盛り込んだりするのが論文の役割なのです。つまり、論文は学問という大きな流れの中に位置する存在であり、決して単独でポツンと浮かんでいるものではありません。そこ（論文の学問上の位置）を理解できれば、論文はぐっと読みやすくなります。

■あなたのレポートは学問の一部になる

　言ってみれば、論文は石造りの階段のようなものです。論文ひとつひとつがブロックのように積み重なり、階段を形成し、研究領域の持つ大きな目標に近づこうとするわけです。レポートはブロックのための材料です。たくさんのレポートが良質な素材となり、やがては堅牢な石のブロックとなり、そうして階段の部分となり、学問を築き上げるのです。仮にレポートを書くとき、あなたひとりだったとしても、**あなたの書いたレポートは、やがてあなたや他の誰かの論文を生み出す材料になるかもしれません。**最終的には学問という存在の一部になるわけです。レポートを書くことに疲れたときは、この構造を思い返してみて下さい。ちょっと勇気が湧くはずです。

2-7 インターネットの読み方

■「今」に惑わされず「今」を読む

　インターネットが「調べる」上での第一歩として有効な手段であることは疑うまでもありません。一方でネットだけを参照して調べてしまうと、どうしても浅い知識で留まってしまう可能性があります。前項で述べたような「どのような流れの中でテキストが書かれたか」が見えにくいからです。ネット上のテキストは、残念なことに正しい引用や参照の仕方が成されていないことがしばしばあります。それらに惑わされてしまうと、レポートの文中に間違った情報が含まれてしまうことになる可能性すら出てくるのです。

一方でネットを参照することで得られるメリットも多くあります。一番の利点は、そのスピードです。学問領域にもよりますが、学会や論文誌で発表するよりもまず先にネットで意見を構築する人は近年一段と増えてきました。あなたが書こうとするレポートに関連する人物の発言を、紙に印刷された文献で読もうとするよりも、その人物のネット上での発信を拾ったほうが、早くその人物の意見に出会える……といった事態は少しも珍しいことではありません。**「今」この瞬間の新鮮な意見に触れようとするならば、ネットは非常に役立つ存在になったと言えるでしょう。**

ネットの意見は揺れ動くもの

　ですが、ひとつだけ忘れてはいけないことがあります。それは「ネット上での意見は一過性のものである」という現実です。「今」に対する意見をいち早く読めるということは、裏を返せば意見を書く側もスピーディーに発信しようとしている事実を意味します。当然ですが「今」という時間は瞬間的なものです。そのときは正しいと信じて書いたことでも、あとになって新たな情報が浮かび上がってきて、最初とは違う意見を書きたくなる経験は、誰もがあるはずです。意見を述べる側も人間ですから、考えが変わるのは不思議ではありません。ネットでは常に情報が更新されています。次々と登場する情報に触れれば、思考が揺れ動くのは避けられません。ですから、**ネットを読む際の最大の注意事項は「今、読んでいる誰かの意見は、変わる可能性がある」という事実を念頭に置くこと**なのです。その部分を忘れなければ、あるいはそうした変化を加味した上でレポートの素材とするならば、ネットを読むのは有意義なリサーチのひとつになるでしょう。

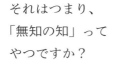

それはつまり、
「無知の知」って
やつですか？

む！ 調べたから
わかるわ。
ソクラテスでしょ。

ね。調べると、会話も
楽しくなるでしょ？
知らないってことを知る
ところから、本当の学びが
スタートするんだから。

第 3 章

考える

—— 問題を発見し、発展させるためには？ ——

　丁寧に調べることをしただけでは、レポートは書けません。そこから、あなた自身が「考える」ことで、レポートは生きた文章となります。せっかく貴重な時間を使って書くわけですから、ただ言葉を並べただけのレポートにはならないようにしたいものです。

　この章では、レポートをより効果的に書くために、あなたにとって意味のあるものとするために、レポートを書く上で、必要な「考える」姿勢について述べようと思います。

　「考える」力を身に付けるメリットは、実はレポートを書くとき以外にも効力を発揮します。研究を進めたり、ゼミで議論をしたり、文献や論文を読んだりする際にも、「考える」能力があるとないとでは、そこから得られるものが、まるで違うものになってしまうのです。

▌考えるための「道筋」、それが論理

　レポートを書く上で、考える作業は避けては通れません。考えないで書けるレポートなど、決して存在しないからです。でも、考えるといっても何をどう考えるべきなのか？　そこがわからないと、途方にくれてしまうこともあるでしょう。

　その際にヒントとなるキーワード、それが「論理」です。**論理とは、考えるための法則（ルール）のこと**。論理から外れないように頭を動かせば、考えることはそれほど難しい作業にはなりません。

■「論理的」とはどういう意味か？

　では、具体的にどうにすれば、論理にのっとった思考となるのでしょうか？

　下記は、「論理がない」例と、「論理がある」例の思考パターンです。まずは両者を見比べてみましょう。

論理がない思考

　1：お腹が空いた。

　2：昨日の夜から何も食べてないからかも。

　3：なんかガッツリしたものが食べたいなあ。

論理がある思考

　1：お腹が空いた。昨日よりもずっと空腹だ。

　2：今日は昨日よりも激しい運動をしたからかもしれない。

　3：運動によって消費されたカロリーを補給する必要がある。

　論理がない思考は、思い込みや主観的憶測が多すぎて、「どのように考えたのか」が見えません。つまり「論理的」ではないわけです。対して、論理がある思考は、「考えた道筋」が読めるようになっています。

■論理のない思考は相手を説得できない

　論理的ではない文章は、考えを相手に届けることができません。考えを読み取れないレポートは、決して評価されません。ですから、考えるための基礎である論理、これをまずは意識してみるようにしましょう。

3-2 覚えるだけでは学べない

考えないと学ぶことはできない

学ぶということは、何かを丸暗記することではありません。例えば「ヌイイ条約が結ばれたのは……1919年！」と年号だけ覚えても、それは学んだことにはなりません。「ヌイイ条約がなぜ結ばれたのか、またそのことがその後のヨーロッパにおいてどのような影響を持つのか」を自分なりに答えられてこそ、歴史を学んだことになるのです。そして、その答えを得るためには、ヌイイ条約について文献を調べ、考える必要があります。

54

大学は学問をする（学ぶ）ための場所

　同じように、大学という教育機関も、知識や技術をただ単に覚えるための場所ではありません。もちろん知識や技術を体得する姿勢は間違っていませんし、そのことにかなりの情熱や時間を学生は費やさねばならないときもあるでしょう。ですが、それだけではない……というより、それだけで終わりにしてしまうと、せっかく大学に進学した意味が薄くなってしまいます。

　大学とは、知識や技術、さらには経験を、より深め、その先にある新しいファクトを探し求めるための空間です。そしてその過程を指して、学問と呼ぶのです。

考えることを好きになろう

　知識や技術を覚えるだけ……で終わらないコツは、考える姿勢を持つこと。
与えられた知識や技術に対して「なぜそうなのだろう？」とか「こうしたら別の意味を持つんじゃないか？」とか、いろいろと考えることをすれば、新しい発見につながる可能性があります。あるいは同じ知識や技術だとしても、使う対象（社会、人、環境……）を考えてみることで、学問を応用発展させるチャンスにもなるのです。

　考えることそのものを好きになるように意識してみましょう。最初はめんどうくさく感じることもあるかもしれません。ですが、徐々に慣れていけば、考えることで、知識や技術がよりおもしろく、意義深いものに見えてくるようになりますし、何より大学という場所が、とてもエキサイティングな世界に感じられるはずです。大学で過ごす時間を、自分にとってメリットのある経験とするためにも……考えることをどんどん実践してください。

考えることの重要性

▌与えられた課題で満足しないために

　前項に続いて、考えることの重要性を強調します。大学では、教授や講師が学生たちに次々と課題を出してきます。そうした課題はとても大切ですから、おろそかにしてはいけません。ですが、与えられた課題をクリアするだけでは、ある程度の知識と技術は身に付けられても、自分を成長させるような学びには到達できません。**自分で課題を発見し、その答えを探し求めること、それが学び**なのですから。

■考えることを繰り返し、課題を発見する

　でも、どうすれば「自分で発見した課題」と出会えるのでしょう？　その
コツは、前項でも述べたように、考える姿勢を継続させることに尽きます。が、
とは言え「考える」を続けるのも決して簡単な作業ではありません。下記に、
シンプルではありますが、思考のトレーニングとでもいうべき、基礎的な「考
える」ためのテクニックを紹介します。

> 1：身近な対象をよく〈観察〉する。
>
> 2：対象の特性について〈疑問〉を持つ。
>
> 3：疑問に対する解答を先行研究から〈調査〉する。
>
> 4：得た解答が別の対象にも応用可能かを〈検証〉する。
>
> 5：1に戻る。

　これだけです。具体例がないため最初はピンとこないかもしれませんが、
対象は何でもかまいませんし、解答もどのようなものでも問題ありません。
大事なことは、上記のプロセスを繰り返しさまざまな対象に対して実践する
ことで、考える力が磨かれるという事実なのです。

　すぐに結果──研究テーマと呼ぶべき自分自身の課題の発見──は得られな
いでしょう。多分、何度も失敗（さしておもしろい解答にならないとか、検
証したら平凡な着眼点だとわかってしまったとか）を重ねるはずです。しか
し、その行為は必ず考える力の基盤を築きます。**考える作業を繰り返すこと
で、課題の発見は可能になる**のです。このプロセスに慣れ親しんだ人は、社
会に出ても応用力のある人間として成長できるようになるはずです。

3-4 調べたことを整理しよう

考える素材は大切に扱おう

考える上で有効な手段は、第2章でも語ったように「調べる」ことです。書籍や論文などの文献調査、データやアーカイブのリサーチ、フィールドワークなどの現場から得る知見……調べる方法は多岐に渡りますが、重要なことはそれらを決してムダにしないことです。**「調べたこと」は決して捨てず、何度も見返すようにしてください。**そうすれば、必ず思考の土台になってくれるからです。

■調べたことをより有効に使うために

　「調べたこと」をムダにしないための簡単な方法論は、常に整理・編集を意識すること。例えば調べるにあたって、書籍をいくつか手に入れたとします。その場合、必ず集めた書籍にインデックスを用意しましょう。具体的には、書籍が本棚に並べられているのなら、それらを一箇所に集めて、「このエリアは、○○について調べたときに集めた本たち」という、一種のラベリングやカテゴライジングをしてください、という意味です。

　「えっ、そんなことをしてどんな意味があるの？」と思われるかもしれませんが、これがなかなか効果的なのです。学ぶことを続けていると、次第に「調べたこと」がどんどんと蓄積されていきます。これをアーカイブと呼びますが、整理されたアーカイブは、後々になって「そういえば……あのとき○○について調べたことがあったっけ……えーっと、どんなことを調べたんだったかな？」と振り返りたいとき、非常に便利です。**自分が何をどのように調べ、どんなことを考えたのかを定期的に参照できる環境は、継続的な学びに必ずプラスに働く**のです。逆に言えば、それをしないと、いつもゼロから調べ直したりするような、一度経た道をもう一度歩まなければいけない状況に陥ります。決して長くはない大学生活を思えば、時間は有効に使えるようにしたいものです。

■インデックスをつくるコツ

　インデックスの作成についてですが、具体的には「資料を一覧できるノート」をつくるのがオススメです。自分が何を読んだかをまとめるだけでも、将来論文を書くときなど、とても役立ちます。

3-5　仮説を立てよう

仮説によって思考がスムーズに進む

　「調べること」を継続的に実践し、それらを整理した上で、考えることを

やりはじめたら、次に仮説を立ててみましょう。**仮説とは「最終的な自分の**

意見」のアウトラインです。結論でなくともよいのですが、結論に至る手前

の段階……「私はこういうことを言いたいんじゃないか」という、少しぼん

やりした、意見の一歩手前の段階だと思ってください。

■仮説を立てるときは間違いを恐れない勇気を持とう

　もちろん、もっと断定的な仮説や結論と遜色のない仮説もありますし、それらは別に間違ったものではありません。研究に慣れているような人なら、強い仮説を立てることも大切でしょう。ですが、もし仮説を立てることそのものに慣れていないなら……仮説はフワっとしたものでもよいのです。もっと言えば、**仮説は間違っていても構いません。学ぶことを進める上で、「あれ、このとき立てていた仮説、全然見当違いだな」と気づいたとしても問題はないの**です。

　むしろ、自分の学びの間違いに気づくために、仮説を立てましょう。仮説は学んでいく上での、未来における道標です。「この課題の答えはこうかもしれない」という仮説を立てれば、何を調べたらよいかの基準が見つかりますし、調べながらどのように考えを育てていけばよいかの判断材料にもなります。その上で、途中で「あれ？　もしかしたらこの仮説は根拠が弱すぎるかもしれない」とか「うーん、この仮説だと別の角度からの意見に反論できないな」とか、仮説の弱さ・間違いに気づくことができたら……それは学ぶ上での最高の瞬間となります。なぜなら、より進んだ方向へ学びを修正できるチャンスになるわけですから。

■仮説を立てないと思い込みにとらわれてしまう……かも

　仮説を立てないと、弱点や間違いに気づかず、思い込みだけで考えを進めてしまう可能性が出てしまいます。すると思考を磨くチャンスを失い、気がついたときにはもう修正する時間もなくなり……といった事態に陥ります。**間違ったほうが、人間は効率よく成長できます。そのための仮説なのです。**

3-6　自分の意見を肯定する

意見を考えたらそれを肯定してみよう

　さて、仮説をもとに思考を進めることの重要性を前項で述べました。その次の**レポートを書くために必要な最大の手順……それは、仮説から生まれた自分の意見を、自ら肯定すること**。前項では間違うことのメリットを強調しましたが、最初から「ふふふ、私の仮説はどこかが間違っているはずだ」と思ってしまっていては……レポートは一文字も書き進められません。ですから、まずは自分を信じて「私は正しい！」と肯定してみましょう。

肯定することで得られる「思考の勢い」

　レポートを書く上でのエネルギーは、自信です。これがないと、「あれ、やっぱり……こんなレポートつまらないかも」とか「どうしよう、見当違いのことを書いているかも……」とか、不安ばかりが成長し、ちっとも筆が進みません。「自分は正しい！」と思い込んでばかりいる人生もよろしくはありませんが、「自分は正しいのだろうか？」と疑ってばかりいても一歩を踏み出せないままです。したがって、最初は自分の意見を正しいと思うようにしましょう。すると勢いが生まれます。勢いに乗って書き始めれば……レポートを書くスピードも、ぐんと向上します。

自分の意見を肯定しながら、「違う自分」を用意する

　もちろん、勢いだけで書いたレポートが優れたものになるとは限りません……というよりも独りよがりの視点や、主観的な調べ方などが目立つ、精度の低いレポートになる可能性のほうが大きいでしょう。

　ですから、**自分の意見を正しいと思うときは、必ずその傍らに「それを否定してくれる自分」を用意するようにしておいてください。**「そんなことできるの？」と思う方もいるでしょう。確かに難しいテクニックではあります。

　「違う自分」を用意するコツは、レポートを書くこと途中で、休憩をとること。どれだけ勢いよく書いていても、です。一旦筆を止めれば、次に書き出すとき、それまで書いた部分を読み返す作業が発生します。すると、勢いだけで書いた文章のミスをあっさり見つけてくれたり、冷静なツッコミをもたらしてくれたりする、もうひとりの「違う自分」が登場するのです。休憩は、そうした客観的視点を得るために必要な行為だと覚えてください。

3-7 自分の意見を否定する

意見を考えたらそれを否定してみよう

　レポートの精度を高めるために最適な作業は「書き直す」ことです。しか
し、闇雲に書いては消してを繰り返しても時間がなくなるばかりで効率はよ
くありません。書き直すときのコツは「一度、自分の意見を否定してみる」
ことです。最初にまとめた意見を冷静に読み返し、「でも、違う立場の人な
らこうは考えないかも」とか「逆の意見があるとすれば、どんなものになる
か」とか、自分の意見を否定する意見を探してみましょう。

あえて否定することで見える自分の弱点

　すると、途端に自分の意見の弱点が見えてくるようになります。「この立場の人々の視点が欠落しているな」とか「ここの論拠は弱すぎるぞ」とか、**自分の意見が見落としていた部分が、否定することで明解になる**のです。もちろん、あまりに自分で自分を否定しすぎて自信を喪失してしまったのでは逆効果ですから、第三者になりきった心づもりで（あなたのレポートを審査する教授にあなたがなった気分で）自分の意見を読み直すようにしてみましょう。きっとレポートに新しい視点を盛り込むことができるはずです。

正しいという思い込みから自分を解放する

　持論の弱点を精査しながら新規の観点を導入する、という効果以外にも、自分の意見を否定するメリットは他にもあります。最大のものは「間違いを肯定できる人間になれる」ことでしょう。レポートに限らず、大学での研究は失敗がつきもの。でもミスをした際に「いや、私は間違っていない、私は正しいはずだ」と思い込んでしまうより、すばやく「私の意見は、ここが間違っていた」と理解できたほうが、グンと学ぶスピードが早くなります。あなたが**自分の意見のどこが間違っているかを理解できれば、教授や講師から適切なアドバイスをもらいやすくなりますし**、論文や資料を探す上でも方向性を見定めやすくなるからです。

　そのためにも、レポートを書く際には自分の意見を否定する練習をしておくようにしましょう。**「間違っている自分」を客観的に理解できるようになる視点の構築は、論文にも就職活動にも役立ちます。**難しいトレーニングではありますが、だからこそ日々のレポートで実践してみましょう。

対象の「よいといころ」を探してみよう

　思考を進める際に有効な手段のひとつに、「対象の肯定」が挙げられます。簡単に言えば、対象（論文、書籍、誰かの意見、観察するモチーフ……いろいろあります）の「よいところ」を探そうという意味です。

　このやり方のメリットは何かと言えば、**対象を肯定すると、対象から得られる情報が増えることで、観察のスピードがアップし、思考の幅が広がる**点にあります。ぜひ、意識して実践してみてほしい方法論です。

否定的な見方では発見がしにくくなる

　人間相手のコミュニケーションでもそうですが、**否定的な先入観を持って
しまうと、相手のよいところが見えにくくなる**ものです。本当は自分にとっ
て気づきを与えてくれるかもしれない相手でも、イヤなところばかりに注目
してしまうと、そこに目が向かなくなります。つらいな、めんどうだな、と思っ
てしまった途端、その行動から得られたはずの経験値が大幅に少なくなって
しまうものです。

　ですから、最初は「よいところ」を意識して探すようにしてください。ど
んな対象にも、ひとつやふたつ、よいところはあります。それをムリヤリに
でも発見して、自分にとってメリットがあるはずだと考えてみる。そうする
ことで、「おっ、確かにその発想は自分にはなかったかも」とか「うーん、
根本的には相容れないけど……その見方は間違いではないな」とか、何かし
らの発見が手に入れられるようになります。

「よいところ」は自分を変えてくれるヒントになる

　そうすると、結果として自分が変化します。「よいところ」を探す姿勢を
継続することで、自分にはなかったもの（知識、着眼点、思想……いろいろ
あります）と出会えるようになるからです。大学というところはおもしろい
場所で、自分とは違う人がたくさんいます。とりもなおさずそれは、自分と
は異なる思考が溢れていることを意味します。度量が狭いと、そうした異な
る思考たちとの出会いを、失ってしまうことになります。そうなったら、学
びは捗りませんし、優れたレポートも書けません。でも、**自分を変えたいと
願えば、どんどん対象を肯定できるようになる**のです。

3-9 否定的に考えるコツ

否定的な思考を
鍛えるための
3要素はコレ。

1. 自分を過信しない。
2. 自分の過去を疑う。
3. よりよいものがあると
信じる。
……懐疑的になりすぎ
ちゃだめだけどね。

そう思っておけば、
効果的に自分の
思考を修正できる
わけか。ふーむ。

自分のミスに
気づける態度ね。

▌肯定的に考えるだけではレポートは書けない

　もちろん、肯定的に考えるだけでは、危険な側面もあります。レポートを書く上で言えば、「書いている自分を正しいと思うあまり、修正が難しくなる」という現象です。スラスラとレポートを書いて、それが即座にすばらしいものになる……なんてことは、なかなかできないものです。教授や講師などの学問のプロフェッショナルですら、何度も書き直して論文やレポートを完成させるのですから。

■ 否定的に考えることで修正点が見えてくる

つまり、言ってしまえば**レポートを書くという行為には、修正――すなわ ちある時点までの自分の意見の否定――が、必要不可欠**だということです。 もちろん、こう書くと「じゃあ、一度書いたレポートを否定しろっていうこ と？ そうしたら書き直さないといけないじゃないか！」と思う方もいるか もわかりません。

ですが……その通りなのです。最初から淀みなく素晴らしいレポートを書 くことができれば、そんなに嬉しいことはありませんが、世の中はそう甘く はありません。最初は「**どんなレポートにも欠点はある！**」と思って書くよ うにしてください。**その姿勢で書けば、必ず修正点が見えるようになります。**

■ 修正点を理解した上で書くレポートは高評価される

修正点が見えるメリットは、レポートをより優れたものに仕上げてくれる 以外に、レポートを書く人自身の成長にもつながります。研究は、正解の積 み重ねで進むものではありません。その途中にはいくつもの失敗や間違いが 存在します。となると、仮説やデータを「よし、きっとこれは正しいぞ！」 と肯定するだけの視点ではなく、時には「ん？ もしかしたら間違っている かもしれないぞ」と疑ってくれる否定的な視点を持っているレポートのほう が、研究の役に立つのです。つまり、否定的な視点を持ち、修正点を率先し て発見しようとする姿勢で書かれたレポートは……研究の立場からは高く評 価されるのです。もちろん、相手や先行研究を頭ごなしに否定するのはダメ ですよ？ **否定すべきは自分自身。修正すべき部分が自分にはあるはずだと 思いながら学ぶのが、コツと言えるでしょう。**

3-10 「相手」について考える

▎レポートには「相手」がいる

　しかし、**レポートを書く上で、相手の存在は忘れないようにしたい**もので
す。相手とは、単純に考えればレポートを課題として読んでくれる教授たち
かもしれませんが……それだけではありません。あなたが書くレポートの内
容を読み、意見を出したり思考を紡いだりしてくれるであろう、すべての人
が対象になります。

「相手」をイメージすると書くのが楽しくなる

　その場合、相手は必ずしも実在する人物でなくとも構いません。いや、実在なんかしないほうがよいかもしれません。**レポートの内容を誰より深く知るあなた自身が、あなたのレポートによって反応を示す人物像を、イメージにおいてつくりあげる**のです。

　イメージの読者氏は、あなたのレポートを読み、その内容に影響を受けて、新たなアクションを起こすかもしれません。あるいはしっかりと精査して読んでくれた上で、意味のある称賛と、意義のある指摘を繰り出してくれるかもしれません。イメージですから、好きなようにあなたは読者氏を動かすことができます。

　そうすることで、あなたはイメージの読者氏による仮想のリアクションを、レポートに反映することができるようになります。「えっ……そんな妄想ゴッコに何の意味が？」とあなたは思うでしょう。ですが……とても意味があるのです。イメージの読者氏は常にあなたの味方です。あなたを褒めるし、励ますし、時に叱りつけ、時に守ろうとするでしょう。その人物を描き切れれば、レポートを書くときの苦しい気持ちも、どうにか乗り越えられるようになります。バカバカしいと思うかもしれませんが、やってみてください。きっとびっくりするほど筆が進むようになるはずです。

イメージがレポートの完成形を導く

　第1章でゴールをイメージする重要性について述べましたが、レポートを書く上で、実は最も効果的なのが、このイメージの読者氏による導きなのです。想像力は創作だけに寄与するものではないことを、覚えておきましょう。

3-11 「未来」について考える

▌レポートを書いた後をイメージする

　レポートを書いた後、あなたはどうなるでしょうか？　「すばらしい、実によくできたレポートだ！　君ほど優秀な学生は見たことがない！」と教授にこれでもかと褒めてもらえるでしょうか？　それとも「君には失望した。本当に私の講義を聞いていたのかね？」と悲しいほどに教授から落胆されてしまうでしょうか？　どうなるかなんて、レポートを書くまでわかりませんが……でも、どうなりたいかをイメージする作業は、実はとても大切です。

■「未来」のイメージはレポートの力になる

　学問とは、実はとても地道な作業の繰り返しです。 そうした作業が好きならば問題ありませんが、あまり得意ではない人にとっては、ややもすると苦痛に感じる場合もあります。ですが、もしその途中で、将来の自分、未来の理想像をイメージすることができれば……苦しい作業も少しですが楽しく思えるようになります。

　レポートを書く上でも未来についての思考はムダにはなりません。書いているレポートが研究にどのような貢献を果たすか、はたまた自分の学びにとってどれくらいプラスに働くかをイメージすれば、漠然と手を動かすよりも、何倍も作業効率をアップさせるでしょう。騙されたと思って実践してみてください。きっと孤独なレポートを書く空間が、ほんのちょっと賑やかで爽やかなものへと変わるはずですから。

■「未来」を考えることでレポートの質が深まる

　書くときのモチベーション以外にも、未来をイメージする作業はレポートに高い効果をもたらします。簡単に言えば、あなたの書くレポートによって、どのような反応が未来において生ずるかを、あなたが可能な限り思考すれば、必然的に書いているレポートに戦略が生まれます。「あの教授は研究対象がこうだから、こう書けばここを拾って指摘してくれるはずだ」とか「今の研究の弱点をあらかじめレポートで言及しておけば、より効果的なアドバイスが研究室のメンバーからもらえるに違いない」とか、文脈を想定することで、レポートで書く内容そのものを、書く段階でブラッシュアップできるのです。**どう読まれるかという未来をイメージできる力は、必ず武器になります。**

イメージ……。
レポートを書くことで、
変化した未来の自分を
イメージ……。
結構難しいわね……。

確かに、言うほど
簡単な作業じゃないなあ。
だって未来の自分なんて、
どうなるかわからないし。
そこをイメージしようと
言われても……。

もちろん、ラクな
ことではないよ。
でもイメージは大切。
なぜって……理想が
君たちの力になる
からなんだ。

第4章

書く

── 自分の考えを正確に伝えるためには？──

　さあ、いよいよ「書く」ことをしましょう。本書のここまでの内容は、言ってみれば準備体操。思考力や論理力を鍛えるための基礎トレーニングのようなものでした。もちろん、基礎ができていないと、どれほどレポートの書き方を教わったとしても、単なる小手先のテクニックを身に付けただけで終わってしまいます。**文章の技術だけでは、よいレポートは書けない**のです。

　したがって、この章では、読者の皆さんが本書をここまで丁寧に読んでくれたことを信じて、すなわち、基礎が身に付いたという前提で、書くことの目的や意味に重点を置いた解説をしたいと思います。

　よりよいレポートを書くためには、何を考えるべきなのか、どこに抑えておくべきポイントがあるのか……そうした部分を、皆さんがこれから書こうとするレポートをイメージしながら、読んでみてください。

4-1 要点を書く

レポートにおいては、「何を書くか」は一言でまとめられるべきなんだ。

つまり、何が書いてあるかを、

自分で説明できなければダメってこと？

そう！ 要点を自分で表現できないようじゃ、それは弱いレポートなんだ。

■「何が書いてあるか」をまとめる要旨

　多くの論文には、冒頭に要旨（abstract）と呼ばれるものがあります。簡単に言えば、「この論文には何が書いてあるか」をまとめた部分です。論文の読者……大学の教授や研究者や専門家は、その論文に読むべき価値があるかどうかを判断するため、まず要旨を確認します。ですから、要旨は的確に論文の内容をまとめたものでなくてはなりません。要旨の出来不出来は、論文の内容と同じくらい、大切なものだと言えるでしょう。

78

■「何を伝えたいのか」を短くまとめてみよう

要旨は、論文だけではなく、レポートを書く上でも効果的な役割を果たす場合があります。例えば以下のようなタイトルのレポートがあったとしましょう。

『2010年代の少女漫画における〈一人称〉の調査研究』

レポートの内容は2010年以降に発表された少女漫画を丹念にリサーチし、そこで描かれる〈一人称〉を調査・分析したものだとします。さて、その場合、「何を伝えたいのか」を短くまとめた1行としてふさわしいものは、次のAとBのどちらでしょうか？

A：このレポートは、少女漫画における〈一人称〉の使用例を調べ、
　　その統計的傾向を調査・分析したものである。
B：このレポートは、少女漫画における〈一人称〉の使用例から、
　　現代におけるコミュニケーションのあり方を模索するものである。

本来であれば要旨には研究の背景や調査方法や調査対象、結論に至るまでを明記するべきなので、AもBも不完全な要旨です。が、どちらがレポートの意義、あるいはレポートを書いた人の目的が明らかになるかと言えば……断然Bに分があります。このように**短い言葉で「何を伝えたいか」という要点をまとめる行為は、レポートを書くためにはとても大切な作業**です。ゴールへの意識が生まれれば、スムーズにレポートを書けるようになります。

4-2 目的を持って書こう

┃ レポートには目的意識が必要

　前項のBの例が示すように、「このレポートは何のために書かれたのか」が明快だと、読む人も理解しやすく感じてくれますし、何より書く本人が自信を持って書き進められるようになります。文献調査やフィールドワークでのリサーチなどを主体としたレポートであっても、単にデータを整理してまとめるだけではなく、その**レポートによって「最終的に何を伝えたいのか」という目的意識を持ってみましょう。**すると言葉を吟味できたり、データの見せ方のポイントが自覚できたりと、レポートの精度がたちまち向上します。

■目的があればスムーズにレポートが書ける！

　多くの学生にとって、レポートは「書けと言われたから書く」もの、つまり課題かもしれません。ですが、課題だからとイヤイヤやるよりも、課題だからこそ、**目的を見つけて、自分を成長させるチャンスにしようと考えてください**。そうすれば、レポートを書くことが楽しくなります。

　目的はどのような種類のものでも構いません。「映画史の講義で20世紀初頭のフランス映画について教わったな……でももっとイロイロな作品があるかもしれない。よし、せっかくだからこの機会にもっと映画に詳しくなろう！」とか「90年代の日本のコマーシャル文化についてのレポートを書け、か。どうせなら80年代や70年代も調べたら、もっとおもしろい内容になるかもしれないぞ」とか……自分の知識を増やしたい、リサーチを深めたいといった欲求は、立派な目的になります。目的があるとないとでは、レポートを書く上でのモチベーションがまるで異なるのです。

■目的を持つことは課題発見につながる

　そうした目的は、レポートを書くあなた自身を成長させるとともに、次のステップ……すなわち、より深く学ぶための課題をあなたにもたらしてくれる可能性があります。課題意識は、さらに深めれば研究テーマへとつながります。教授から与えられた研究テーマをこなすだけでは、大学はおもしろくなりませんし、あなたも成長できません。

　自分で見つけた研究テーマこそが、そこに時間と情熱を注ぐことこそが、大学で学ぶ醍醐味となるのです。その一歩目が、レポートにおける目的意識の存在だと思ってください。それは必ずあなたの学びを豊かにします。

4-3 調べた結果を書く

■ データは歪めず正確に記そう

レポートを書く上で、調べたことは、レポート中に正確に記述するように意識しましょう。ここはさじ加減が難しいところですが、前述の**目的意識に引っ張られるあまり、データを目的に沿うようなカタチで歪めることは、レポートを書く上で最もやってはいけない行為**です。嘘になるから……だけではなく、レポートの価値を損ねてしまうからです。レポートにおいて、リサーチの結果は最初の情報として尊重されなければなりません。

82

調べた結果は素直に受け止めよう

　もちろん、ある程度の推論を立てた上でレポートを書こうとする姿勢は、決して間違ったものではありません。ですが、その推論はあくまでも指針です。それに合致するような結論を導くために調べた結果を変えては……調べる意味が失われます。

　例えば「小中学生のゲームプレイ時間に関する調査レポート」を書こうとしたとします。「ゲームをした時間が多ければ多いほど、学力は低下する」という仮説ないし推論があったとして……実際の調べた結果がそれと異なるものだったとしたら？　無論、結果を曲げてはいけません。素直に「ゲームプレイ時間が長ければ長いほど学力は低下するという予測を立てたが、定期テストの結果はそうではなかった」と認めましょう。下手に無理やり理屈をこねくり回すと、せっかくのレポートが無意味になってしまいます。嘘を説明するためのテキストほど、書く価値のない文章はないのですから。

レポートに第三者の目線を！

　レポートはそれを読む人にとって「事実の証明」でなくてはなりません。主観や憶測は絶対に許されないというわけではありませんが、そればかりになってしまっては、誰からも読まれないレポートになってしまいます。研究テーマ次第では「こういう結果になってほしいなあ」と思うことは多々あるでしょう。ですが、その思いを軸にレポートを書いてはいけません。レポートを書くコツは、第三者の目線を維持し続けること。それができないと、たちまちレポートが個人の感想や、思い込みを言語化しただけのものになってしまいます。厳しい言い方をすれば、それはもはやレポートではありません。

正しい引用の仕方

■引用元に対しては敬意を持つこと！

　引用とは、「自分ではない、別の誰かの意見」をレポートや論文において、使用することを意味します。他者の文章のある部分をそのままの形で掲載したり、対談などのテキストから他者の意見を抜き出して記載したり、あるいは調査結果や研究結果を示す図表やデータなどを転載したり……そういったものはすべて引用となります。自分のレポートや論文に引用をする場合は、引用する対象、すなわち引用元に対して敬意を持つように意識しましょう。

84

■正しく引用しないと学ぶ資格がないとみなされる！

　どんな学問であっても、なかなかひとりではできないものです。長い年月、多くの人々がコツコツと研究を続けることで、学問は発展していきます。その意味では、引用は、学問の広さや深さを証明するアクションであると同時に、引用をするあなた自身が、学問という長い探求の道を歩むメンバーのひとりだと証明する行為でもあるのです。

　ですから、きちんと正しい形で引用をしないと……例えば誰かの論文にある一文を、あたかも自分が考えたアイデアであるかのように書いてしまうとか、誰かの研究で発表された調査結果を、まるで自分が調べたかのようにそのデータを少しいじって論文で見せるとか、そうした他者への尊敬を欠く行為をすると、学問をする資格がない人間と見做されます。研究機関に所属する研究者であれば追放され、教職にある身であれば解雇され、学位論文でそんなことをすれば学位が剥奪されてしまうのです。引用は最も代表的で、かつ多用される「相手への敬意を示す行為」ですから、必ず正しい引用の仕方を覚えるようにしてください。

■正しい引用が学問を発展させる！

　正しい引用の仕方が大切な最大の理由は、学問や研究がどのように進歩・発展してきたかを引用によって知ることができるからです。引用元を知ることで、ある論文のルーツを調べることができます。引用元を学べば、ある思想がどのように広まっているかを知ることができます。正しい引用は、レポートを書く上でのルールであると同時に、学びの材料にもなるのです。

　以上を踏まえて、次項から、正しい引用の仕方を解説していきます。

正しい引用の仕方を理解しよう

文献を引用する上で、必ず押さえるべきポイントは、「著者名、文献名、文献が書かれた年、文献が発表された媒体名（雑誌名や書籍名）、引用した箇所が書かれているページ」です。 どんな本（書籍や雑誌や論文など）に、誰が（ひとりなのか、共著なのか、など）、いつ（本の刊行年や論文の発表年など）、どこに（何ページ目なのか）書いたのかがわかるようにしなければならない、ということです。以下に正しい引用の例をお見せします。

A：◯◯共和国においては、世帯数あたりの自動車の所有率は20％程度だとする調査報告もあるが（**狸坂猪五郎「◯◯共和国の自動車所有率から見る経済発展の可能性」、『自動車と世界経済』第87号、古利根川大学出版局、2012年、106〜107頁**）、もちろん日本の所有率と単純に比べられはしないものの、家族における自動車のあり方を考える上でのヒントとなる調査だと言える。

B：ヴァガネッタは日本における納豆の需要は、一種の信仰ということになるのかもしれないと指摘する。「つまり、彼らにとって〈ネヴァネヴァしたもの〉は、アニマが宿る対象の、現在進行系での活動を証明する存在なのだ。彼らの信じる神は紛れもなくそこにいて、かつ生きているのだということをモノとして理解するためのツールが、納豆なのである」（**リガード・ヴァガネッタ『精霊と台所』狐川今之助訳、ぽんぽこ書房、2002年、182頁、強調は引用者による**）。

※A、Bともに架空の文献。

引用元の意見と自分の意見を区別できるようにしよう

Ａは学会誌に掲載された論文を引用文献を引用する例、Ｂは海外の著者による著作が日本で翻訳出版されたものを引用する例となります。

それぞれの文章における（　）内部にて、必ず著者名、文献名、出版社名、発表年、該当ページが記されていることがわかるでしょうか。これらは最低限、必ず記さねばならない要素です。引用した内容がインターネット上で発表されたものであるならば、URL なども記さねばなりません。著者や編者として複数名がクレジットされている場合は、全員の名前を表記する必要があります。省略などはしてはいけません。引用した部分を読んだ人が、必ず引用元を参照できること、それが「正しい引用」となります。

もう１点、レポートを書く上で引用する際に注意しなければならないことがあります。それは、引用元の意見と、自分自身の意見を区別して書くということです。引用した内容をあたかも自分の意見であるかのように書いたり、あるいは引用した内容だけでレポートを構成して、自分の意見を書かなかったり、という書き方はよくありません。引用の意味もなくなりますし、レポートを書く意味も弱まってしまいます。

引用元の表記は、別にまとめてもよい

また、引用元の表記方法ですが、レポートの文中に入れてしまうと、読みにくくなりそうな場合は、注番号を文中に振り、レポートの末尾や下段に、引用元を別にまとめて記す、というやり方もあります（ページ数の多い書籍などの場合はそうするのがスタンダードかもしれません）。そうした場合も、必要な要素をすべて網羅して引用元を明記するように心がけましょう。

4-5 自分の意見を書く

┃ レポートは論文ではないけれど……

　自分の研究成果をまとめる論文のような文章であれば、自分の意見はなく
てはならないものです。研究した結果、何がわかったのか、何がわからなかっ
たのか、その上で何を考えたのか……そうした部分があってはじめて「論」
になるからです。対照的にレポートは、研究の素材ですから、必ずしも結論
がなくてもよいものと言えるでしょう。リサーチの成果をまとめるだけでも、
それは立派なレポートです。ですが、私はたとえレポートであったとしても、
そこにあなたの意見は必ず含めるべきだと考えています。

▌思考を鍛えるトレーニングとしてのレポート

　なぜ自分の意見をレポートに書くべきなのか？　理由はとてもシンプルで、どのような形で学びを深めていくにせよ、常に考える作業を実践したほうが、その後の研究において得られるものが多いからです。教授に言われたから、課題だから、という理由でレポートを書かされているだけだと、どうしても受け身の学問になってしまいます。ですが、仮にそうしたシチュエーションでレポートを書くことになったとしても、思考する姿勢を持っていれば、課題から発見をすることが可能になります。「ん？　この視点はもっと深めたらおもしろい論につながるのでは？」とか「言われたとおり調べてみたけど……このデータからはもっと違う角度の意見がつくれるんじゃないかな」とか、自分が見落としていたことに気づいたり、自分の思い込みや間違いを発見したり、自分の学びに新たな展開を呼び込んだりすることができるのです。ですから、**レポートは思考力を鍛えるチャンスだと思うようにして、少しでもよいので、そこに自分の思考の結果を記すように意識してください。**

▌思い込みだけの思考はダメ

　もちろん、だからといって自分の主観的な思考ばかりを満載したテキストでは、レポートにはなりません。きちんと調べ、リサーチし、情報を整理し……といった客観的記述に専念した上で、「……以上のことから、○○においては○○という可能性が指摘できる」といった具合に、チラリと主観的判断を添えるのがトレーニングとしては正しい態度です。**初めから主観を盛り込んでしまうとレポートとしての精度が疑われる結果になってしまいます。**そうならないような意識は常に持つようにしてください。

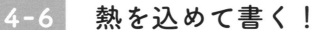

4-6 熱を込めて書く！

レポートは燃え上がってよい

　客観的に記述することと、情熱を注ぐことは矛盾しません。前項では主観的な思考ばかりならべてはダメと述べましたが、だからといって冷静に書かなければならないというわけでもありません。ここでは情熱的にレポートを書く方法とその意味を考えてみましょう。

■「レポートを書くこと」そのものをおもしろくするために

　なんでもそうですが、イヤイヤ手を動かしていたのでは、生産性は低いままです。ですから、**レポートを書くこと自体をおもしろがってください。そうすれば、レポートは必ず意義あるものになります。**

　おもしろがりながら書くひとつめのコツは、「調べる範囲を広げる」こと。第2章の「横方向に調べる」を思い出してください。あそこで述べた「横方向」をとことん広げてみましょう。例えば「映画史のレポートなのに、わざわざ最近放送中のテレビアニメーションまで調べて映画との関連性を語るなんて！」と読んだ人が驚くようなものが書ければ完璧です。ひょっとすると課題の求める部分からは少し離れてしまう結果になるかもしれません。でも気にしないでください。そうすることで、あなたの視野がグッと広がります。ピントがずれていたって構わないのです。仮にレポートの評価が低かったとしても、あなたの思考力は確実にその裾野を広げたわけですから。

■深く掘り下げれば熱も込めやすくなる！

　もうひとつのコツは、「調べる範囲を深める」こと。第3章の「縦方向に調べる」を思い出してください。例えば「映画史のレポートなのに……18世紀の〈影〉を使った錯視の実験まで調べて映画に結びつけて述べている！」と読んだ人が感心するようなものが書ければ大成功。具体的なアドバイスとしては、課題が求める対象の過去の歴史をとことんまで遡ること。ある事象が、どのような変化をたどって現在のような形になったのかを知る作業は、レポートの本質ですし、何よりその作業をしたあなたの学びの糧になります。レポートに対する評価も向上します。ぜひ挑戦してみてください。

静かに落ち着いて書く

█ 熱を込めて書くのはいいけれど……

　レポートを書くのが楽しくなって、無我夢中で手を動かしてしまったら……どこかのタイミングで一息入れましょう。「えっ、せっかくノリノリで書いているのにストップしないといけないの？」と思うかもしれませんが、そういう瞬間は得てして、書くことばかりに意識が向けられていて、書いた内容の質を確認する作業が読むことが疎かになってしまいがちです。「熱を込めて書く！」のも大切ですが、それだけではダメということです。

■手を休めると見えてくる欠点

　常に自分を疑っていては前に進めませんが、いついかなるときも疑問を抱かず自信満々に進んでいるだけでも、不意の落とし穴が避けられません。

　レポートを書く際も、「熱を込めて書く！」作業の合間に「落ち着いて書く」という作業を意図的につくってみるようにしましょう。そうすることで、客観的に自分のレポートを読み直すことができるため、言葉や事実関係の「間違い」や意見を立てるには論拠が「不足」している……といった自分の欠点が見えてくるようになるのです。**ノリと勢いだけで書いたレポートで突き進められるほど、大学という世界は甘くありません。**一旦手を休め、冷静になって自分のレポートのダメなところを自覚してから、「静かに落ち着いて書く」をやってみてください。レポートの質がすぐにアップします。

■レポートを完成させるまでのシンプルなワークフロー

　下記が「4-5」からこの「4-7」までをまとめた具体的なワークフローです。

> １：リサーチをする、文献を調べる。
> ２：１で得た内容を整理し、まとめる。
> ３：２に対して自分の意見や思考を述べる。
> ４：３がおもしろくなってきたら、手を止め、レポートを読み直す。
> ５：４で欠点を発見したら、必要に応じて１や２や３に戻る。

　このフローを覚えておけば、「何も書けない！」というような事態には陥りません。案外４が難しいのですが……ぜひ参考にしてみてください。

4-8 「間違い」を書く

▌「間違い」は悪いことではない

　レポートを書いていると、調べ方に問題があって間違えた内容を書いてしまったり、あなたの思考がじゅうぶんではなかったせいで正しくない意見を書いてしまったりするかもしれません。ですが、最初のうちは、あまりそうした「間違い」を気にしすぎないようにしてください。「間違い」だらけのレポートは確かによくはありませんが……**人間は「間違い」から学ぶ動物です。「間違い」によってよりよいレポートを書く道筋も見える**のです。

94

■「間違い」が導く発見を大切にしよう

　間違うことで、あなたは「自分には何が足りなかったのか」を学習することができます。調べ方が不足していたのか、調べる対象がよくなかったのか、あるいはリサーチはできたけれど、それを整理してまとめる能力が未熟だったのか、もしくはそれに対する思考が弱かったのか……「間違い」によって、いろいろな自分の欠点が見えてくるものなのです。

　ですから、「間違い」を恐れないようにしてください。「間違い」を拒まないようにしてください。「間違い」は必ずあなたの財産になります。**「間違い」を繰り返すことで、あなたのレポートは磨かれていくのです。**

■あえて「間違い」を残すように書く

　誤字脱字や引用元の記載忘れやデータの読み間違いといったケアレスミスを連発するようではいけませんが、「ん……この過去の文献に書かれれている主張は、この解釈であっているかな？　それとも間違いかな？」といったタイプの、思考や判断に紐づく「間違い」は、もしあなたが「間違いかもしれない……どうしよう」と悩んでしまうようなら、あえてそのまま残すようにしましょう。通常、大学で書くレポートは、教授や講師など、あなたよりも優れた研究者や学者によって読まれるものです。したがって、「間違い」があるならば、彼らがきちんと指摘してくれます（それが彼らの仕事ですから）。だとすればむしろ「間違い」の可能性を気に病むよりは、そのまま提出して「間違い」がどのような種類のものなのか、どうすれば正しい解に近づくのかを、先達にアドバイスしてもらえるチャンスだと思うようにしましょう。これが「間違い」を効果的にレポートで使う方法論です。

4-9 「わからない」を書く

■「わからない」ことはよいこと

　前項で「間違い」が決してレポートにとってムダではないことを強調しましたが、同様に「わからない」もまた、レポートおよび大学で学ぼうとするあなたにとって大切なエッセンスとなります。「わからない」を自覚的に理解することで、何をどのように学ぶべきかが自然と見えやすくなるのです。

　ですから、ぜひとも、「間違い」や「わからない」を隠したり恥ずかしがったりしない大学生になるよう、強く心がけてください。

■「わからない」ことが「わかる」レポートは意味がある

　「わからない」を隠さない姿勢は、実は書き手側だけのメリットではありません。実は読み手にとっても、つまりレポートを評価する側、あるいは将来においてあなたの書いたレポートを参照する立場の人間にとって、実はそのレポートが「わからない」をはっきりと示してくれるアイテムとなることは、学問にとってプラスに働く意味があるのです。

　例えば、あるレポートに以下のような記述があったとしましょう。

　……○○の解釈についてはまだ定着していないのかもしれない。■■大学の▲▲教授は、著書『現代社会における○○の価値について』（△△書房、2018 年）の中で、「○○を定義する時期にはいたっていない」（188 頁）と述べ、また図 3 が示すように、××新聞による世論調査の結果からも、はっきりとした傾向を読み取ることは難しく……

　伏せ字ばかりで何のことやらわかりませんが、しかしながら、上記の例からは「○○の解釈」（おそらくは社会的な文脈での定義のようなものでしょうか？）がまだ不明である、という主張が読み取れます。先行研究として調査した文献や新聞によるリサーチ結果なども、その主張を補強しているということが文章から伝わります。

　とすると、この例文は、「○○の解釈」が文章が書かれた時点では「わからない」のである……ということがわかるレポートになっている、ということができるのです。**「わからない」も、立派な学問上の事実ですから、そこを指摘できたとしたら、それは素晴らしいレポートと言えます。**

「わからない」を探しに行こう

「わからない」を明快に、論理的に指摘しているレポートは、実はとても役立ちます。なぜなら、研究する側にとって、「ある時代、ある地域、ある環境において何がわからなかったかがわかるレポート」は、研究の現在地を示してくれるからです。

レポートや論文は、長い学問の道において、道路標識のような役割を果たしてくれます。自分だけではなく、後に続く研究者たちが、何を参照し、何を読み、何を疑えばよいかが……その標識によってわかりやすくなり、そのおかげで探求の道を歩めるようになる、という仕組みです。

となると、**「わからない」という標識は、レポートや論文を読み学ぶ人間にとって大切なメッセージとなります。**「なるほど、こっちに進むとまだ答えが見えていないのか」とか「ふむ、未開拓の道があるなら……新しい実験を試す場所としてふさわしいかもしれない」とか、そんなふうに読み取ります。それはとりもなおさず、価値のあるレポートとして、学びを深める材料として意味がある事実を示すものなのです。

「わからない」が
見えれば、何を
学べばいいかが、
わかるってこと？

そういうこと。つまり、**レポートを書くって行為は、君たちが「わからない」ことを発見するためのトレーニングでもある**んだ。

見つけやすい答えと簡単に出会うために大学があるんじゃない。「わからない」ことをより深めるために、大学は存在するんだから。

大学は社会で働くための最適解を教わる場所だと思っていたけど……。違うんですね。

4-10 図を使う書き方

図には文章を補助する効果がある

　レポートの内容にもよりますが、**図を使うことが効果的に働く場合があります**。文章で説明する要素を図によってさらにわかりやすくしたり、図で構造を解説しながら文章でより細部を掘り下げたり……。もちろん、図だけで成立するレポートはありません。あくまでも思考があり、思考をまとめた文章があり、その上で図を使うというケースが一般的なレポートのあり方でしょう。ただ、図そのものにはもう少し別の意味合いも存在します。

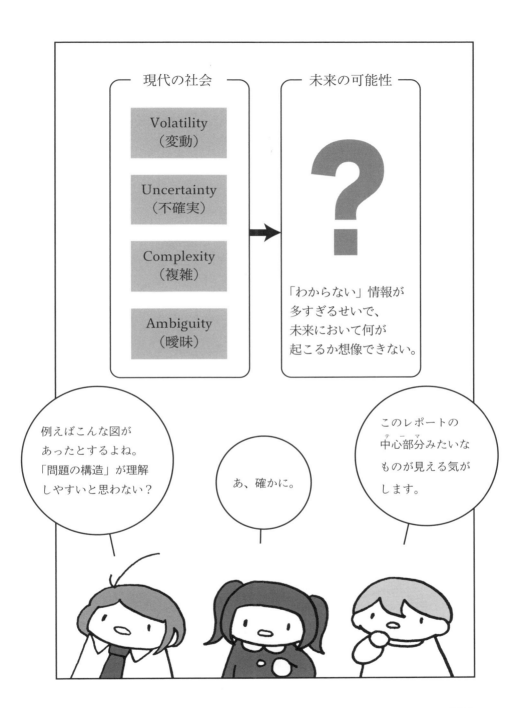

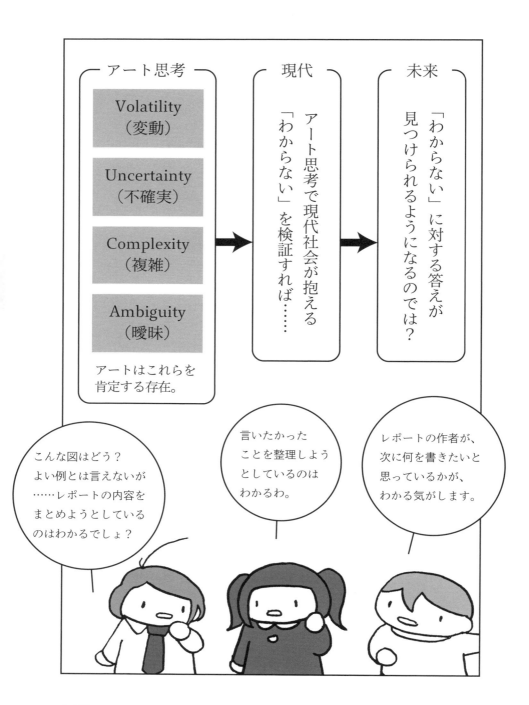

アート思考

Volatility
（変動）

Uncertainty
（不確実）

Complexity
（複雑）

Ambiguity
（曖昧）

アートはこれらを
肯定する存在。

現代

アート思考で現代社会が抱える「わからない」を検証すれば……

未来

「わからない」に対する答えが見つけられるようになるのでは？

こんな図はどう？
よい例とは言えないが
……レポートの内容を
まとめようとしている
のはわかるでしょ？

言いたかった
ことを整理しよう
としているのは
わかるわ。

レポートの作者が、
次に何を書きたいと
思っているかが、
わかる気がします。

102

ビジュアルが導く思考

　図を描く行為は、読者への説明を助ける目的を持つと同時に、あなた自身の課題への理解を促す効果もあります。複雑な問題や、重なり合った事実なども、ビジュアルで一度整理することで、わかりやすくなったり、別の視点が切り開かれたりします。ビジュアルによって思考を育てる効果は、かなり学びに役立ちます。**練習方法としては、ミーティングなどでの議論の内容を、ビジュアルで記録してみることをオススメします。**複数の言葉がどのように関係しあいながら意見を構築していくのか、そのプロセスが見えるようになるからです。機会があれば、一度やってみてください。

4-11 表を使う書き方

レポートの中に、表を入れたいんですが、どうやれば上手に表を入れられますか？

表の役割は、客観的事実の可視化にあるんだ。

だから、伝えやすくしたほうがよいと思える情報を、丁寧に表にしてごらん。

▌表は必ず意味のある場面で使うこと

　「表」とは、情報を可視化したものです。グラフと言い換えればわかりやすいかもしれません。例えば、情報の主体が数字であれば、グラフは効果的な表として機能します。もちろん、言葉で表をつくることもあります。

　いずれにせよ、**大切なことは「使うべき場面で使う意識」です。** レポートの内容に関係こそするが、さして重要でもない要素をグラフや表で示したり……するのは、レポートの枚数を厚くはしますが価値を薄めます。

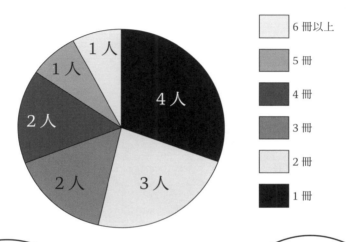

「1か月に何冊本を読むか」の調査
（有効回答者数 12 人）

- 6 冊以上
- 5 冊
- 4 冊
- 3 冊
- 2 冊
- 1 冊

これは悪い例だよ。サンプル数の少なさもそうだけど……**情報をどう見せたいかが伝わらない表**だね。

確かに……どんなレポートか知らないけどこれなら「1冊も読まない人」とかも入れないとダメじゃない？

3冊読む人と4冊読む人との意味の違いなどもよく伝わらないし……。無意味なデータを表にしているのかも……。

「1週間あたりの読書に使う時間」の調査
（電子リーダーを含む。有効回答者数 12 人）

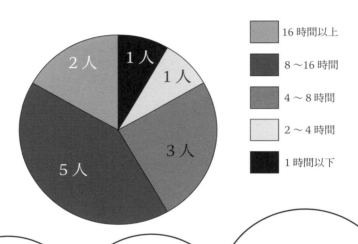

- 16 時間以上
- 8～16 時間
- 4～8 時間
- 2～4 時間
- 1 時間以下

こっちはどう？さっきよりは「表で伝えたいこと」がクリアになったと思わない？

うん。読んだ冊数より読んだ時間のほうが、例えば「若者と読書」みたいなテーマなら、意味があるのかも。

さっきの表より、いろんなことが言えそうですよね。現代における「読書量」がわかるレポートを書くならこっちの表かなあ。

■「歪んだ表」はレポートを崩壊させるので注意しよう

　例に挙げた悪い表の使い方は、単に情報が伝わりにくいだけではなく、レポートの意図や狙いそのものすらも、壊してしまう可能性があります。せっかく調べて、考えて、自分の意見を組み立てたのだとしても、表が不必要なインパクトを持ってしまったり、あまつさえその表の示す情報がレポートの本筋と離れていたり、レポートで伝えようとしていた部分との関連が薄すぎたりすると、レポート自体が歪んで読まれてしまうことになりかねません。

　ですから、表を使うときは、「本当にその情報が必要なのか」をよく吟味してください。**表が示すものが、「正しくレポートの内容を補強するか」をちゃんと考えて、その上で無意味ではないと断言できるときに、表を用いることを、強く意識しましょう。**

　これは、レポートや論文などに掲載されている表を読むときにも大事なポイントです。表が示すものに惑わされて、そこに書かれている内容を、それが本当に伝えようとしているものを、見失わないように、普段から気をつけて表と接するようにしてください。

4-12 結論は書ききらない

レポートには「答え」がなくてもよい

　これはレポートの種類や性質にも大きく左右される問題ですから、一概には言えませんが……レポートにおいては必ずしも結論は明確に存在しなくともよいケースがあります。調べることが主体のレポートであったり、情報の整理と分析に主眼を置いたレポートであったり、いろいろなケースが考えられますが、結論が主役ではないレポートというものがあるのです。そうした場合においては、無理に結論をひねり出す必要はありません。

▌結論はレポートを重ねることで見えてくる

　そもそも、ひとつのレポートであるテーマに対する結論まで至ることが、難しいと思っておいてください。それぞれのレポートに対して自分の思考や意見をしっかりと書いたとしても、それ自体は読んだ側からすると、結論として受け止めるには弱いものになっているかもしれません。しかし、それで構わないのです。

　レポートにおけるあなたの思考は、次のレポートでは変化するかもしれません。いえ、変化するべきなのです。となれば、ある段階のレポートにおいて結論を用意したとしても、その結論と次のレポートにおける結論は、まるで異なるものになるかもしれません。もちろん、それはあなたの変化、つまりあなたの成長を証明するものですから、ちっとも問題はないのです。

　ならば、**無理に大きな結論めいたものをレポートの文末に書こうと四苦八苦するよりは、その時点での分析や思考を簡単にまとめた程度の小さな結論をそっと書いておく**、ぐらいの心持ちのほうが学びはじめの段階においてはよいのかもしれません。結論は、学び続けるうちに見えてくるでしょうから。

▌書ききらないことで生まれるモチベーション

　上記のような心構を持てると、いつしか「もっと書きたい！」という欲望が生まれます。例えば「もう少し踏み込んで言い切ってもよかったかな」とか「もっと大きな問題提起ができたかもしれない」とか、そんなふうに。もちろん、狙って書ききらないのは難しいでしょうし、狙う必要もありません。最初のうちは結論の弱さを感じても気にしなくともよい、という程度のアドバイスです。モチベーションは弱さの自覚から芽生えるのですから。

4-13　書いたものを読み返す

大切なのは、書きっぱなしにしないこと。書いたレポートは必ず読み返そう。

書きっぱなしにしない……。

必ず読み返す……。ふーむ。

■完成したら……まず読み返そう

　レポートを書き終えたら、読み返すようにしましょう。書いた、できた、ハイ提出……ではダメです。理由のひとつには、書いたレポートを読み返すことで、必ず——あなたが未熟であればあるほど——修正すべきポイントが見つかるからです。もちろん、ここまで述べたように、「間違い」があっても問題はありません。ただし、「間違い」に気づかず終わらせてしまうのと、「間違い」を理解した上で完成するのとでは、意味が全く異なるのです。

110

■「自分に足りないもの」が理解できてレポートは完成する

　前者のままだとあなたは未熟なままで終わってしまいます。しかし、後者の場合、あなたは「自分が成長するポイント」を予め押さえた上でレポートを書ききることができるようになるのです。

　そのメリットは、仮にレポートの点数がひどいものであったり、教授や講師から手厳しい批判を受けたりしても、すぐにそれらを自分の糧にすることができる点にあります。**「自分には何が足りないか」を理解した上でレポートを完成させると、そこから何をするべきかが見えやすくなります。**フィードバックと言い換えてもよいでしょう。何を修正するべきか、どこをより深くリサーチしたらよいのか、どんな視点を今後の学びに加えるとよいのか……そうしたポイントがレポートを読み返すことで可視化されるのです。

■読み返すことで「自分でも興奮できるポイント」を探そう

　書いたレポートを読み返すメリットは他にもあります。それは、自分がどんなモチベーションで書いたかを確認することで、その後のレポートにおいても「書くリズム」が体得できるという点です。

　具体的には「どこを書いているときに夢中になれたか」を振り返るとよいでしょう。「興奮したポイント」でも構いません。そうしたプラスの感情で書き進められた部分を、必ず覚えるようにしてください。簡単に言えば、**レポートを書いていて楽しかったと思える瞬間がどこだったかを自覚できれば、次にレポートを書く際にも、手の動かし方がわかる**という意味です。

　これができるとできないとでは、大学生活がガラリと変わってしまいます。「書くことの楽しさを覚える意識」を忘れないようにしてください。

4-14 欠点は敢えて残す

■欠点のあるレポートは……ダメではない

　読み返すことで、明確な欠点を見つけてしまったら……あえてそれをそのままにしておくのも手段のひとつです。前述した「間違い」を書くというテクニックにも通じるのですが、ここではより一歩進んで、「欠点」があることを自覚した、あなた自身の後悔のようなものを大切にしようという提言でもあります。

■後悔は理想の裏返し

　何かを書いた後、「こうすればよかった……」とか「ああ、ここはこう書くべきだったかなあ……」とか、そんなふうに思わない人間はこの世にいません。断言しますが、どんな大作家でも私のような三文文士でも、書いた後には必ず後悔するのです。理由は妥協しながら筆を進めているから……ではなく、むしろその逆で、理想を追い求めて書いているからに他なりません。

　完璧な文章など誰も書けません。それがわかっているからこそ、かえって理想が高い人ほど、できあがった文章に対して後悔を募らせるのです。つまり、もしあなたがレポートを書いた後に後悔をしたとしたら、それはあなたが理想を抱いている証拠、もっとよいレポートを書きたいと願う心が芽生えた事実を示しているのです。

■欠点の自覚が成長につながる

　その意味では、後悔によって理想がより具体的に見えるという考え方もできます。「**うん。私のレポートはここがダメだった。今度はここを気をつけよう**」と自覚できた瞬間、あなたは確かに成長したと言えるのです。ですから、後悔を導く欠点が、レポートに含まれていることはあなたの自覚的な成長を促す観点からも、一概に否定はできない要素と言えるわけです。

　もちろん、それを狙って露骨に欠点だらけのレポートを書くようでは意味がありません。読んでくれる教授や講師などの立場の人々に対しても失礼です。そうではなく、全力で書き、その上で読み返した後に「うーん、ここはやっぱりこうするべきだったかなあ」としみじみ思える種類の後悔……これを大切にするようにしてみましょう。それが学びの成長を約束するのです。

書き直しは最小限に

■書き直すのもよいけれど……

　書き直す作業は、決して無意味ではありません。少しでもよいレポートを書こうとすれば、書き直したくなるのは当然です。読み返すのが得意になれば、修正点を探すのもうまくなり、必然的に書き直すポイントも的確に見つけられ、結果的に書き直すことでレポートの精度が上がるようになるでしょう。それは確かに素晴らしいことです。ですが、まだレポートに慣れていない人にとっては、最初から求めなくともよい態度だと私は思います。

■書き直さなかったことで見えるものがある

　なぜなら、最初の頃に書くレポートには、欠点が山程あるに決まっているからです。調べ方が下手だったり、引用の仕方が雑だったり、図の使い方が杜撰だったり、文章が読みにくかったり、主張が乱暴だったり……たくさんダメなところが見つかるでしょう。それらをつぶさに修正しようとしたら、書き直す時間がとても長くかかってしまいます。無論、丁寧に書き直していくことでレポートの書き方を覚えられる可能性は否定しませんが、同じ分だけ時間を使うならば、私は書き直す時間を最小限に抑え、新しいレポートを書いたほうがよいと信じています。

　どうせ最初は欠点だらけのレポートを書いてしまうのです、誰だって。ならば、間違いを指摘されるのを怖がって書き直すよりは、どんどん次のレポートを書いて、新たな間違いを発見できたほうが、あなた自身の成長を促します。人間は、転んで痛みを知ることで正しい歩き方を肉体に覚え込ませるものです。ゆえに、大学生のあなたも、**間違いを重ねることで正しいレポートの書き方を手と脳に染み込ませましょう。**

■「量」を書いたほうがよい学びになる

　特に細かいミスを気にして書き直すような姿勢は、書きはじめる段階ではおすすめしません。最初の頃のレポートに対しては教授たちも揚げ足をとるようなミスの指摘はしてこないものです。ですから神経質になって書き直すよりも、「荒削りだがおもしろいところがある」と評価してもらうチャンスを増やせるよう、書いたレポートの数を増やすように意識しましょう。**レポートの書き方を学ぶ初期段階においては、質より量という見方もある**のです。

第4章　書く ── 自分の考えを正確に伝えるためには？ ──

書いたものは捨てない

■ 読み返さなければレポートは意味がない

　読み返すことの重要性を繰り返し述べていますが、状況次第では、必ずしもレポート提出前に読み返す時間を確保できない場合があるでしょう。その場合は、レポート提出後やレポート返却後に改めて読み返すというスタンスでも構いません。最善はレポートが誰かに読まれる前に自分で読み返すことですが、それができないことも大学ではよくあります。大切なのは読み返す作業そのものです。

■読んでくれた人の思考をトレースしよう

　レポートが採点された後に読み返す作業は、誰かが読んだという事実を経由するため、ある面では他者のバイアスがかかるというか、純然たる自己批判が難しい可能性もあります。ですが……読み返さないままでいるよりはずっとマシです。むしろ最初から自覚的に自分のレポートの欠点を見つける作業は難しいでしょうから、慣れないうちは教授や講師の査読を経てから読み返すのもトレーニングとしてはよいでしょう。

■レポートを捨ててしまったらすべてがムダになる

　ここで重要になるのは、自分の書いたレポートを決して捨ててはいけないということ。自分で書いたものを粗雑に扱う人間は、絶対に書く力を伸ばすことはできません。間違いや欠点を内包していたとしても……否、それらを教えてくれるからこそ、書いたレポートは最良の教科書となるのです。にもかかわらず、**レポートを読み返すこともせずに捨ててしまうような人間は、自ら成長のチャンスをムダにしている**ことになるのです。

　よいものにせよ、ダメなものにせよ、書いたレポートはあなたの財産です。したがって、どのようなときでも参照できるようにしっかりと保管しておくようにしましょう。提出してしまったら返却されなかった、といったような事態にもそなえて、スキャンをするなりコピーをとるなり、複製をつくり、しっかりとバックアップを残しておく姿勢はとても大切です。

　大学在学中や日々の課題に追われている瞬間はなかなか意識しにくいかもしれませんが……後々になって絶対に意味を持つのです、あなたが書いた過去のレポートというものが。

どう伝えるかは
気にしなさい。
どう読まれるかは、
気にしすぎるな。

どう伝えるか……は気にしろ……。

どう読まれるか……は気にしない……。

もちろん、読んでもらった上での反応を知るのはとても大切なことだよ。でもそれだけがレポートのすべてじゃない。

大切なのは、誰かの評価よりも自分自身の課題発見だよ。それを得られる伝え方をこれから考えてみよう。

第5章

伝える

── 問いを深めるコミュニケーションとは？──

　レポートは、書いて終わりではありません。書いた上で、読んでもらい、読んだ人の反応を得て、はじめてレポートとして完成します。

　この章では、そうしたレポートを書いた後のプロセス、つまりレポートによって、あなたの思考を「伝える」ことの意味や価値、そこで考えるべきポイントについて、述べたいと思います。

　単純に考えれば、レポートは多くの場合、課題として存在するものであり、課題をクリアした、しかるべき評価をもらい、講義における単位を得た……となれば、そこで役目が終わりのようにも思えます。ですが、それでは本当の学びにはつながりません。レポートを書いた上で、どのように相手に伝え、かつどんな反応をもらえたか、そしてそれをどう次のレポート、ひいてはその後の学びに活かすかを、この章では考えてみましょう。

5-1 誰に伝えるのか

さー、書くわよ！
そして教授を
アッと驚かせて
みせるんだから！

僕もやるぞーっ。
あのとても厳しい
非常勤講師の鼻を
あかしてやる！

うん、気合はよいけど
……。あまり「読者」を
限定しすぎないように。
レポートを書く楽しさが
減っちゃうから。

┃ レポートを読むのは誰か？

　さて、ここまではレポートの書き方を中心にいろいろと述べてきました。
ここからは「レポートを読む」部分にも着目して思考を進めていきましょう。

　実は、レポートを書くこと以上に重要なステップとして、レポートを読ん
でもらうという段階があります。**誰に、どう読まれるかを知ることは、レポー
トの価値を左右します**。その部分を知ることで、あなたのレポートはより深
く磨かれる可能性を持つのです。

▌レポートを読むのは教授だけではない

　第4章までで、読者として教授や講師を想定して述べているくだりがいくつかありました。もちろん、大学生であるあなたにとって、教える側は重要な読者です。彼らのことをないがしろにしてはレポートは成立しません。レポートには彼らが指定するフォーマットが存在する場合があり、例えば手書きなのか、タイプした文字なのか、他には文字サイズ、原稿サイズ、提出の方法（紙にプリントアウトするのか、メールで送るのか、WordファイルなのかPDFなのか……）などなど、いくつも気にするべきポイントが存在します。しかし、それらをクリアした上で、あなたはより強く「誰が読むのか」を考えねばなりません。もっと言えば**「誰に伝えるのか」を意識してレポートを書く必要がある**という意味です。

▌レポートの読者は未来のあなたである

　レポートは書いて終わりではいけないと、第4章で述べました。この意味をさらに深く考えてみると、レポートを書いたあなた自身の変化がレポートそのものの課題として存在している事実を示します。言うなれば、レポートはたとえどのような完成度のものを書こうとも、それ単体で完結するものではない、ということです。**あなたの書いたレポートによって、その後の学びの過程において、あなたがどのような変化を示すかが問われている**のだと考えてください。となると答えは明瞭で、伝える相手は教授や講師などの人々であると同時に、未来のあなたということになります。将来において学びを進めるあなたへ、こう変わろう、ここを変えようと呼びかけられるレポートが、本当の意味で価値を持つレポートになるのです。

5-2 何を伝えるのか

それと、難しい話だけれども、レポートによって「何を伝えるのか」も意識してみてね。

レポートの内容のことだけじゃなく？

レポートを書くことそのものが何を伝えるか、みたいな意味？

次の課題を示すレポートを書こう

　前項でレポートの読者に「未来のあなた自身」を想定すべしと述べました。となると、**レポートが伝えるべき内容の根幹には、将来成長したあなたが過去の自分の書いたレポートを参照したときに、学びの素材が含まれていることが求められます**。逆に言えば、自分自身を読者に想定した場合、そうしたものが伝わるレポートであれば、価値が高いということです。

レポートが伝えるべき3つのポイント

　過去のレポートを読み返して、価値を持つような、学びの役に立つ具体的なポイントを紹介しましょう。

1 ：「間違い」がわかる

 →「間違い」からどれだけ自分が変化したかがわかります。

2 ：「欠点」がわかる

 →「欠点」が整理できれば、修正すべきポイントが明確になります。

3 ：「その時点での事実」がわかる

 →研究の内容そのものを変化させるときの指針になります。

　上記が伝わるレポートになっていれば、誰に対してもそのレポートは効果的に働くものになります。特に大事なのは 3 の部分。学問領域にもよりますが、研究対象やリサーチ対象は、時代や社会の変化に応じて変質・変容するものです。それらの変化にいち早く対応するためにも、3 がしっかりと読み取れるレポートはあなたの学びにとても役立つものになるのです。

　また、重要なポイントとして、1 〜 3 は相互に関連しつつ作用することも覚えておいてください。例えば「YouTube における視聴者のリアクション動向」をリサーチしたとしましょう。調べた数字の持つ意味は、当然ですが時間とともに変化します。ある時点では正しい数字であり、それに対して的確な分析をしたとしても、1 年後に読み返すとその分析そのものが古くなり……間違っているという判断が可能になる場合があります。

　ですが、それを恐れないでください。もっと言えば**「このレポートで述べている内容は、数年後には間違った内容になる可能性がある」と織り込み済みでレポートを書いてみましょう。**結果としてそれは強度のあるレポートになります。

どう伝えるか

書けば伝わる
わけじゃない
……もんね。

レポート書いた、
はい終わり……
だと、ダメだよね。
どう伝えようか？

相手の反応や意見を
得るための伝え方が
ある。それを実践
から考えてみよう。

■「間違い」を自覚して伝えるレポートには意味がある

　前項の流れを受けると「えっ、じゃあレポートを書くときに、間違ってい
るってことを理解した上で書くの？」と疑問に思われる方もいるかもしれませ
ん。しかしながら、「間違い」を理解して書くのと、理解せずに勢いだけ
で書いてしまうレポートには、その後の効果に雲泥の差があります。後者は
レポートを書いたあなた自身に、たいしたフィードバックをもたらさないレ
ポートとなってしまうのです。

■「間違い」を伝えるとフィードバックの価値が向上する

つまり、ここで述べているのは、レポートの書き方である以上に、レポートの伝え方と強調することができるかもしれません。レポートを書いた上で、そのレポートの内容に対して、ハッキリとあなたは「リサーチのこの部分や、自分の意見を交えたこの箇所などは、間違っている、あるいは間違いとなる可能性がある」と明言するのです。その文章をレポートの冒頭に堂々と明記するか、そうした可能性をレポートの末尾にしっかりと言及するか……勇気を出してやってみましょう。やりすぎて言い訳っぽく書いてしまってはいけませんが、ふさわしい文量で熱を込めすぎず、冷静にその可能性を示唆する内容を含ませられたレポートは、読む側にもしっかりと伝わります。

■レポートは一方的な存在であってはいけない

すると、当然ですが読む側はリアクションを示します。あなたが臆せずに「このレポートのこの部分は間違っている。あるいは私にはわからない部分がある」という態度を示せば、読者はそれに対してコメントをしてくれます。「この文献を読むといいよ」とか「こっちをリサーチすればいいんじゃないか」とか「この論文にはキミの疑問へのヒントがある」とか……いろいろな価値のある反応を返してくれるものなのです。

レポートを書くということは、双方向のコミュニケーションなのです。一方的にあなたが書いて提出して終わり……というものではありません。書いたあなたがいて、読んでくれる人がいて、その反応を受けて、あなたが自身をよりよく変化させるための材料を得る……そうした流れを手にすることが、レポートを書くという行為の、究極の目的になるのです。

5-4　口で伝える

読む以外の方法でレポートを共有しよう

　レポートは文章であり、紙に書く（印刷する）にせよ、データとして完成させるにせよ、読むものとしての側面が強くあります。ですが、伝えるという観点に立てば、そして前項で述べた、価値あるフィードバックを得るためには、必ずしも読むだけに特化した伝え方にこだわる必要はありません。あなたがひとりではない以上——大学やそれに類するような研究機関にいる以上——そこには学問を志す人間が多くいます。よりよいレポートを書くために、彼らを使わない手はありません。

■レポートをコミュニケーションの材料にする

　可能であれば、書いたレポートについて話をしてみましょう、あなた以外の別の誰かと。教授の研究室に飛び込んでみたり、講師を捕まえてみたり、研究室の先輩に頼んでみたり、同学年の誰かと講義の合間の時間に談義してみたり……**言葉を交わす議論には、文章を書くのとは違う、その場であるからこその発見や意外性を持った視点が飛び出すことがままあります。**それらと出会う手段として、レポートの内容を口で伝える意味があるのです。

　レポートという文章に対して文章でコメントを返すには、一定以上の時間が必要となります。ですが、言葉を交わして感想を言い合ったり、内容を議論したりする分には、スピーディーなリアクションを得られる可能性が強くなります。**ポイントは、あなたが口であなたのレポートの価値を伝えようとするとき、決して自分の正しさばかりを主張しないこと。**むしろ謙虚な姿勢で「私のレポートの欠点はこことここなんですが、皆さんの意見をいただけないでしょうか」という態度で伝えようとしてみましょう。あなたの周囲の人間がすさまじく忙しかったりしない限り、必ずあなたのレポートに対するコメントを口で伝え返してくれようとするはずです。

■他の人が書いたレポートを読んで言葉で評価を伝えよう

　そうした口頭ベースの議論の輪を維持するために必要なもの、それは表層的なコミュ力などではありません。大切なのは、あなた自身も読む側に回ろうとする態度です。**自分の書いたレポートを読んでもらうだけではなく、誰かが書いたレポートを率先して読もうとすること。それができれば、あなたの学びは孤立しません。**

5-5 紙で伝える

やっぱり
紙に印刷して
伝えることに
するわ……。
この方が残るし。

後から
読み返せる
のはいいね。

紙には紙の強さが
あるからね。
レポートを紙で残す
方法は、継続的な
学びをする上で、
とても有効だよ。

▌書いたレポートを書きっぱなしにしないために

　紙にレポートを書いたのであれば、「紙で伝える」のは当たり前と思われ
るかもしれません。ですが、ここで述べたい方法論はそうした意味ではなく、
紙ベースで自分の書いたレポートをきちんと記録しようというニュアンスで
す。やや手間のかかる方法ではありますが、大学での学びを考えた上でも、
その後の社会に出てからの活動においても、必ず役に立つものになりますか
ら、紹介させてください。

■書いたレポートは必ずまとめて保管しよう

　真面目に大学生活を過ごしていると、書くレポートの数はかなりの量になるものです。そうしたレポートを、逐次的な課題としてクリアしていくだけでは、あなたは成長できません。いつまでもレポートを書くときに新鮮に苦しみ続けるだけになってしまいます。

　ですから、レポートは必ず保管するようにしましょう。そして保管の方法として意外と優れているものが、紙に印刷し、束ねるという工程なのです。具体的にはバインダーのようなもので整理・保管するのがオススメです。年代別でも講義の性質別でもよいですが、読み返すときに前後の関連が必ずわかるように編集した上で（タグをつける、読んだ人のフィードバックをメモする、自分のコメントを付記する……などをここでは編集と呼んでいます）捨てないように保管するのです。

■書いたレポートは次の研究のための材料になる

　その行為が最も真価を発揮するのは、論文を書くときです。**論文を書く際に、自分が積み重ねてきたレポートは、これ以上ない材料になります。逆に言えばそれをしていないと、論文を書く際に、またゼロからリサーチや調査やデータ分析をやり直さなければならず、相当な時間と労力を奪われてしまうことになります。**単に効率も落ちるだけでなく、論文の精度も低くなってしまうでしょう。それを避けたければ、コツコツとレポートを整理・編集・保管することです。それが「紙で伝える」ことの真髄となります。やるとやらないとでは、大学生活の終盤がガラリと変わってきますから、今からでも遅くありません、しっかりと「紙で伝える」意味を問い直してみてください。

ネットで伝える

やっぱり邪道
ですか？
学生はやるべき
じゃない？

ネットで意見を
書いたりして
伝えるのって、
どうなのかしら？

そんなことはないよ。
どんどんやったら
よいと思うよ。
いろいろな人に読んで
もらえる利点もある。

ただし、ネット上の
反応に影響を受け
すぎないように。
本来の学びが歪む
危険性もあるからね。

┃レポートをインターネットで公開してみよう

　余力があれば、レポートをインターネットで公開してしまうのも、戦略の
ひとつだと思います。もちろん、研究室単位での研究に関するレポートや産
学で連携している研究に紐づく**レポートには、守秘義務があるものもありま
す。そうしたものを無断で公開するのは、明確に犯罪となるケースがありま
す**から、やってはいけません。あくまでも個人の責任において書いたレポー
トについてであれば、公開してもよいのではないか、という提案です。

■インターネット上の反応でレポートをさらに磨く

　ひところより元気がなくなったようにも見えますが、それでもやはりインターネットを媒介とした集合知の強靭さには、目を見張るものがある場合があります。ですから、あなたが書いたレポートについても、その威力を用いて洗練させる術を施すのも、悪手ではありません。

　インターネット上にはレポートのような文書を公開するシステムがあります。学位論文などであれば近年はインターネット上での公開はいっそ義務のようになりつつあります。その流れを真似して、インターネットにレポートを流してみましょう。

　目的はもちろん、大学という枠組みを飛び越えたフィードバックを得ること。**あなたのレポートが誰かに参照されれば、あなた自身も見落としていた価値をレポートに見出すことが可能になるかもしれません。あるいはあなたのレポートの粗を誰かに指摘されれば、あなたは次にレポートを書く際に修正すべきポイントを手にしたことになります**。日本語だけではなく英語に翻訳して公開すれば（あるいは予め英語でレポートを書いておけば）、フィードバックは世界規模で得られる可能性があるわけです。

■反応に振り回されすぎないように注意

　もちろん、よいことばかりでもありません。インターネット上には匿名性をよいことに、ひどい発言や理性的ではない意見などを平気で繰り出す人々もいます。ですが、そうした目に遭ったとしても、凹んではいけません。所属や名前を明らかにせず一方的に言葉をぶつけてくる人たちは、それがあなたにとって有益ではないと判断できるのであれば、全力で無視しましょう。

5-7 反論を喜ぶ

くーっ、こっちの
意見に対して、
反論をされたわ！
鋭い指摘だったから、
悔しいと同時に
感心しちゃったわ！

よかったじゃないの。
反論されるってことは、
君の意見が相手に
思考を芽生えさせた
証拠なんだから。

▌反論されることでより質の高いレポートが目指せる

前項に関連した部分として、反論という反応へ、いかに対処するかについて述べたいと思います。

大前提として……**反論は歓迎しましょう。あなたのレポートに対して、真っ向から「違う」と言い切ってくれる論理的な意見は、そのままあなたの糧になります。**それを材料にして、あなたのレポートは磨かれることになるのですから、反論は最も喜ぶべきリアクションなのです。むしろ反論がひとつももらえないようなレポートを書いてしまったら、反省してください。おそらくそのレポートは、誰の思考も揺るがさなかった、つまらないレポートであることを意味するのですから。

真剣に書いたレポートは真剣な反論を呼び込める

　本書が第4章で「間違い」や「欠点」の価値を強調した理由も、ここに尽きます。反論を得られないレポートや論文は、言ってみれば無視されたも同然なのです。そうなると、あなたは次にレポートを書く上での修正ポイント、あるいはもっと広く言えば学びを続ける上での課題意識のようなものを、得られないままとなってしまいます。それは大変な損失です。

　レポートを単なる課題としてとらえてしまうと、上記のようなケースに陥る場合があります。「書けと言われたから惰性で書いたレポート」には価値がありません。価値がないから反論すら産まないのです。逆に「間違っていると言われる部分もあるかもしれない。でもそこを問いかけたいからこそ書いたレポート」のように、一種の挑戦が含まれているレポートには、必ず反論が導かれます。そして**反論が存在する事実は、読む側も真剣に読んだ証明**となります。真剣に書かれていないものは真剣に読んでもらえません。ですから、反論と出会えた瞬間、あなたは大喜びしましょう。あなたの熱意が、読者に届いた証拠なのですから。

価値のある反論とそうでないものはきちんと区別しよう

　したがって、反論と出会った場合、あなたは絶対に不満に感じたり、しょげたり、怒りに駆られたりしてはいけません。

　前項の繰り返しとなりますが、名前も所属も立場も明かさない人間による、感情的な、ちっとも論理的ではない反論（という名に値しないものです、ほとんどのそれらは）には、怒ってもよいかもしれませんが……そうした反論は、今度はあなたの側が無視すればよいだけのことです。

5-8 批判に感謝する

■「批判」の受け止め方で学びの質は変化する

　反論があなたのレポートの間違いを指摘するものだとすると、批判はあなたのレポートの全体像を俯瞰して肯定的ではない評価をするもの……として解釈してください。

　「意見を述べようとしている姿勢は悪くないが、その根拠となる文献調査がお粗末すぎる」とか「リサーチはよくできているが、それらの分析が全然足りない」とか、そうした批判は、レポートを書く上では（特に学び始めの段階では）避けられません。避けられない以上、あなたは受け止めるしかありません。ここではその受け止め方について述べようと思います。

■「批判」は最良の教材である！

　先程と同じことを言いますが……批判には感謝をしましょう。**批判はする側とされる側の双方を学びの質を高める行為であり、学問をする環境においては欠かせないものです。** もし批判が存在せず、誰も彼もがお互いを褒め称えることしかしない大学があったとしたら……そんな学び舎では何一つとして成果のある研究をすることができないでしょう。批判があるからこそ、批判された側はよりよく学ぶことができるのです。批判する側も批判する責任をしっかりと果たすべく、研究を重ねることをします。

　ですから**あなたのレポートが批判されたら、それ自体が、あなたがいる環境が正しい学ぶ場所である証明となります。** そしてあなた自身が学ぶ資格がある人間だと認められた証拠となります。それらが示す、あなたの周りが生ぬるい空間ではなかった事実に……深く感謝するようにしてください。

■狙って「批判」を得られるようにしよう

　ややもすると批判を怒られることと同義にとらえてしまう若い学生もいるようです。ですが、そうした考え方は、他でもないその学生にとって、重大な損失です。確かに批判はともすると（言葉の使い方や批判するタイミング次第では）お説教のように思えてしまうこともあるでしょう。しかしながら、叱るという行為自体、叱る側が叱られる側の成長を期待している側面があるわけです。まして批判は学術的な貢献を目論んだ上での行為ですから、全力で感謝し、全身全霊で受けとめるようにしましょう。レポートを書くことに慣れてくるとどうすれば効果的に批判されるかを見越して筆を進められるようになります。その域を目指してください。

「伝わらなかった」を記録する

■「伝わらなかった」ことも大切なリアクション

批判やリアクションを記憶し、記録し、整理し、保管することはここまで述べたようにとても大切です。必ずあなたの学びに役立ちますし、その行為を繰り返すだけでも学ぶ意味が出るものです。

しかしながら、適当に書いたわけでもないのに、批判されず、これといったリアクションももらえなかったら……どうすればいいのでしょうか？　真面目に書いたのに無視されてしまったレポートほど悲しいものもありませんが、悲しんでいるだけでは先に進めません。第5章の最後として、そうしたケースを想定した対処法を解説します。

■望まない反応も貴重な学びの材料になる

あなたが全力でレポートを書いたのに、**さしたる反応をもらえなかったとしたら、それは「あなたが伝えたいと狙った部分が、相手に伝わらなかった」ことを意味します。**この場合、相手の読解力を疑うのは間違いです。残念ですが、原因は、あなたのレポートに、伝わりにくい要素があったから……ということになります。

あるいはいくつかの反応がもらえたとしても、それがあなたの望まないような反応（批判も含めて）だったとしましょう。その際にも「伝わらなかった部分」への意識を強く持つようにしてください。このような結果は往々にして起こりうることで、「えっ、このレポートの本当に言いたかったことはそこじゃないんだけど……」とか「本当の主張はこの部分なんだけど……教授はそこには触れてくれなかったなあ」とか、学びを続けているとしばしばそうした事態に遭遇します。

■「伝わらなかったこと」があなたを成長させる

　その場合、あなたはまず「何が伝わらなかったか」を分析してください。**自分のレポートにおける「伝わらなかったこと」をメモし、整理し、自分の書いたレポートとあわせて、いつでも読み返して参照できるように記録しましょう**。すぐには原因はわからないかもしれません。文章の書き方なのか、リサーチした内容の見せ方か、まとめるまでの論理展開なのか……原因はいくつも考えられます。その本質的な原因は即座には見つかりません。何度も同じミスをしてようやく自覚できる種類のものかもしれません。いずれにせよ、「伝わらなかったこと」を記録しておかないと振り返ることすらできず、同じ過ちを繰り返すハメになります。苦しいトレーニングとなるかもしれませんが、やりましょう。

　少し余力があれば、書いたレポートに対して、フィードバックを受けた内容を加味して加筆・修正したものを、改めて書いてみることもよいトレーニングになるでしょう。やってみるとわかるのですが、意外と驚くほど素直に自分の欠点が見えてくるのです。「うわ、よく見直したらひどいリサーチの仕方だ……」とか「こんな雑な書き方、どうしてしちゃったんだろう……」とか「なんて浅い結論なんだ……よくこれでレポートを出そうと思ったもんだ」とか、自分のダメなところに対して、とても純粋な気持ちで反省ができるようになります。

　「伝わらなかったこと」をあなた自身が率先して理解することで、あなたの思考力は鍛えられ、あなたが次に書くレポートの精度がぐんと向上するのです。最初はなかなか実践が難しいかもしれませんが……「伝わらなかったこと」と向き合う大切さを、意識してみてください。

なるほど……。
伝わらなくても、
それはそれで意味が
あるんだ……。

もちろん、伝わらなかった
事実をちゃんと反省する
ことが前提だけどね。
レポートを書くってことは、
トライ＆エラーの繰り返し。
**うまく意図が伝わらなくても
落ち込んじゃダメ**だよ。

伝わらないって
いうのも、ひとつの
コミュニケーション
なのね。ふーむ。

終章

── 学び続けるために──

継続は力なりと昔から言うように、レポートを書くことも、一度だけではあまり意味がありません。何度も書いてこそ、学ぶ力となって身につくものなのです。

あなたの書いたレポートは、あるときは「ここがダメだ」と怒られるかもしれません。またあるときは「よく調べている。よいレポートだ」と褒められるかもしれません。そうした経験のすべてが、レポートを書くあなたの能力を高める貴重な経験となります。

つらいときもあるかもしれませんし、忙しくて挫けそうになるときだってあるかもしれません。ですが、**学ぼうとする意志を失わない限り、挫折や失敗はあなたの財産になります**。最後となるこの章では、そうした学びのモチベーションに関する心構えのようなものを、解説したいと思います。

6-1 繰り返す意味

失敗は繰り返してよい

　同じミスを何度もやらかしてしまうと、だいたいの場面においては怒られたりするものですが、学びにおいてはそんなことはありません。ミスは繰り返してよいのです。

　なぜなら、**繰り返すことで見えてくるものが、学問の世界には確かに存在する**からです。一度の失敗では、わからなかった原因が、二度の失敗で明らかになることがあります。同じ原因で失敗を繰り返したとしても、何十回目かの失敗で、別の発見が導かれることがあります。逆に、一度で成功してしまったら、異なる可能性の芽を潰している危険性だってあるのです。

144

■「繰り返すレポート」の書き方

その構造は、レポートにおいても同じです。例えばあなたが書いたレポートが、低い評価を得たとしましょう。調べる対象そのものが間違っていたのか、調べた結果をまとめる方法がよくなかったのか、あるいは調べ方そのものはよかったけれど、それに対する分析や考え方が不足していたのか……いろいろな原因が、低い評価には存在します。

もし、あなたが原因を見極められたら……勇気を出して、もう一度その方法を試してみてください。調べ方が悪かったら、もう一度同じ調べ方をしてみましょう。まとめ方がよくなかったのであれば、同じまとめ方にチャレンジしてみましょう。分析がまずかったのなら、同じ切り口で再度分析してみましょう。すると……またしても低い評価を得てしまうかもしれませんが、大丈夫。**「失敗したレポート」の書き方を繰り返すことで、あなたはゆっくりと、でも確実に、自分なりの「正しいレポート」に到達できる**のです。もちろん、失敗したレポートを読み返す作業があってこそ、ですが。

■「効率悪く」勉強しよう

効率を気にしていたら、学びは深められません。確かに、誰かに考えてもらった答えを使いながら生きるほうが、簡単ですし、しんどい思いも少なくて済むでしょう。ですが、そんな人生はちっとも楽しくありません。失敗したり、間違えたりすることで、あなたの学びは鍛えられ、あなた自身の思考力や精神力もタフになります。大学での学びだけではありません。人生においてもそれは同じことです。間違いを繰り返したほうが、人間として丈夫に成長できますし……より大きな成功を手にする可能性が高まるのです。

継続する意義

続けないとおもしろさには出会えない

　最初から学問のおもしろさに触れられる……のはとても幸運なことですが、なかなかそうはいかないものです。淡々とデータをとったり、実験のために飽きるほど反復作業をしたり、ひたすら観察を続けたり、興味のない文献を丁寧に読み解かなければならなかったり……めんどうに感じたりつまらなく思ったりすることもあるでしょう。

ですが、そうした一見すると派手さとは無縁な作業も、続けないとそこから見える深い部分のおもしろさには出会うことができません。言い換えれば、**継続しない限りは、学びの本質的な意味は、自覚的に理解できない**、ということになります。せっかく大学にいるのですから、それはとても……もったいないことです。少し我慢すれば、すぐに学問はおもしろくなり、一度おもしろさを感じてしまえば、あとは研究を進める過程で加速度的に、おもしろい瞬間が増えていきます。ですから、がんばって学びを継続させる心意気を持つように意識してみてください。必ずあなたの学びを、いや、人生そのものを豊かにしてくれるはずです。

▍続けることで挫折も失敗も意味が生まれる

　学びを継続することには、より大きなメリットがあります。それは、あなたの過去を、他でもないあなた自身が肯定できるようになるということです。最初から最後まで、ずーっと成功し続けている人なんて、そんなにいません。誰だって続けている途中では、失敗したり挫折したりするものです。しかしながら、続けることを諦めてしまうと、失敗は失敗のままに、挫折は文字通り挫折として、あなたの心が挫けて折れてしまった記憶として、あなたの人生に刻まれてしまうことになります。

　ところが、もし続けていたら……やがて成功を収めることができるかもしれません。大成功とまではいかなくとも、小さな満足を得られるかもしれません。つまり、**学びを継続していれば、どんな失敗や挫折も、自分を育ててくれた経験として受け止められるようになる**のです。つらい思い出を、将来笑い飛ばせるようになるためにも……継続を意識して学んでください。

学びへの意志

そっか。失敗して、そのままにしてたら、失敗しただけで終わりだもんね。続ければ、成功につながるかも。

今、こうして学んでいることを無意味にしないためにも、続けたほうがトクってことか……ふーむ。

その気持ちを育てると……学びへの意志が芽生えるよ。それがあれば、多分大学を卒業しても学び続けられるし、社会に出ても楽しい日々が送れるようになると思う。

■ 学びに終わりはない

学ぶという行為には、終わりがありません。どんな学問であっても「もうこれ以上学ぶところがない」なんてことには、決してならないからです。理由は、社会や人間が変化するからです（あるいは学問側がそうした変化を推し進めることもあります）。ある時代には正しかった内容も、時代が変われば間違った内容になるかもしれません。ある場所では通用した事実が、社会が変化したことで異なる受けとめられ方をするようになるかもしれません。ある文化で生まれた言葉が、人間の変化に応じて別の意味を持つようになるかもしれません。今も、昔も、これからも、変化は絶えることなく続きます。そして、変化が生まれ続ける以上、それを対象とする学問もまた変化していくのです。ゆえに、学びには終わりがありません。

■ 変化を怖れず学ぶ意志を持とう

同様に、学ぼうとする人間も、常に変わることが求められます。あなたがレポートを書き続け、それをもとにあなたや誰かが論文を著し、そうして研究が深まり……その輪が広がれば広がるほど、学問は変化という名の発展を遂げようとするでしょう。その輪に加わり、変化を自発的につくりだそう、あるいは変化に積極的に関わろうとする気持ち、それが学びへの意志というものになります。それがあれば、ただ変化に流されるだけの人生とは無縁でいられます。それがないと、目まぐるしい変化に追い立てられるだけの、慌ただしい人生になってしまいます。言ってみれば、学びとは、変化に負けないための、人間が身に付けた最初の道具なのです。道具を壊さないためにも、これからを生きる人々の、学ぶ意志の発露を、私は期待します。

人生は一度きり。
学ばない人生より、
学ぶ人生のほうが、
充実して生きられると
思うんだよ。

誰かのつくった価値観や
アイデアや思想を選んで、
それに従って生きるのも、
ラクだとは思うけどね……。
それは楽しい生き方ではない。
間違っても失敗してもいいから、
自分で考えて生きてみたほうが、
おもしろいんじゃないかな。

おわりに

　以上で本書は終了です。マナブーとカコがこの後どのように成長するのか……漫画であればそこまでしっかり描ききりたいところですが、本書は漫画要素こそあれ、漫画の本というわけではありませんから、そのあたりは読者の皆さんの想像力に委ねたいと思います。まあ、ひとつだけ確かなことがあるとすれば、マナブーとカコが、レポートを書くことそのものに、少しだけ自信を持てるようになったことでしょうか。

　自信は、どのような学問や研究をしようとも、学びを続ける上では欠かざるべき要素だと私は考えています。せっせと大学に通い、丁寧に課題をこなしていくことも大切ですし、教授や仲間と議論を重ねることも意味があります。しかし、そうした行動の根っこには、自信がなければなりません。

　なぜなら、自分に対して自信がないと、学ぶ上で、いくつもの不安に襲われるようになってしまうからです。「このリサーチの方法であっているのかな……」とか「こんなテーマ、教授に怒られないかな……」とか「みんなサクサク研究を進めているな、自分の研究は遅れているかも……」とか、いろいろと。もちろん、それらが自分の足りないところを発見し、そこを自覚しようとする姿勢から生まれたものであるならば、ちっとも問題はありません。ですが、自信を持って自分の欠点を見つけることと、自信のないまま反省を繰り返してしまうことは、似ているようで意味が違います。後者はともすると、学び続けるあなたの心を蝕む可能性すらあります。私がこの本を書いた理由は、あなたたちにそうなってほしくないと願ったからです。

自信を持てるようになれば、学ぶことそのものが楽しくなります。その事実を伝えたくて、本書は企画されました。無論、根拠のない自信ばかりつけたって、意味はありません。かといって、何も経験せずして自信が生まれることもありません。ですから、大学生であるあなたたちが最も経験を得やすい機会として、自信を培いやすい場面として、「レポートを書く」ことそのものをテーマにしようと決めました。

　レポートを書くことで、学びの経験値を高めてほしい、学ぶことへの自信を深めてほしい……それが私の希望です。同時にレポートを書く経験を重ねることで、自分の思考を他者に伝える勇気を、おもしろさを、意義を、強く感じてほしい……そうも期待しています。

　レポートを書くのは、当たり前ですがラクな作業ではありません。忙しかったり、疲れていたり、しんどかったり……さまざまな困難がレポートを書こうとするあなたたちを襲うかもしれません。そうしたときに、本書が、少しでもあなたたちの助けになれば、あなたたちに自信を芽生えさせるきっかけとなれば、著者としてこんなに嬉しいことはありません。

　最後に謝辞を。ミネルヴァ書房の編集者、島村真佐利さん、著者をやる気にさせるコメントの数々、ありがとうございました。おかげさまでこうして完成まで進めることができました。改めて感謝いたします。

　そして読者のみなさまへ、一風変わったこの本に、最後までお付き合いいただき、ありがとうございました。機会があれば、また別の本でお会いしましょう。それでは失礼します。

2020 年 2 月 7 日　川崎昌平

索引

《著者紹介》

川崎　昌平　(かわさき・しょうへい)

1981年生まれ。埼玉県出身。東京藝術大学大学院美術研究科先端芸術表現専攻修了。作家・編集者、昭和女子大学非常勤講師、東京工業大学非常勤講師。主な著作に『ネットカフェ難民』(幻冬舎)、『編プロ☆ガール』(ぶんか社)、『労働者のための漫画の描き方教室』(春秋社)、『書くための勇気』(晶文社)、『同人誌をつくったら人生変わった件について。』(幻冬舎)、『重版未来——表現の自由はなぜ失われたのか』(白泉社)、『重版出来 (全3巻)』(中央公論新社) などがある。

大学1年生の君が、はじめてレポートを書くまで。

2020年 4 月30日　初版第 1 刷発行　　　　　〈検印省略〉
2021年11月10日　初版第 3 刷発行

定価はカバーに
表示しています

著　　者　川　崎　昌　平
発　行　者　杉　田　啓　三
印　刷　者　坂　本　喜　杏

発行所　株式会社　ミネルヴァ書房
607-8494　京都市山科区日ノ岡堤谷町 1
電話代表　(075)581-5191
振替口座　01020-0-8076

Ⓒ川崎昌平, 2020　　冨山房インターナショナル・新生製本

ISBN 978-4-623-08889-8
Printed in Japan

山田剛史・林創 著
大学生のためのリサーチリテラシー入門　　四六判　256頁
　　　　　　　　　　　　　　　　　　　　本　体 2400円

田中共子 編著
よくわかる学びの技法［第3版］　　　　　B5判　180頁
　　　　　　　　　　　　　　　　　　　　本　体 2200円

白井利明・高橋一郎 著
よくわかる卒論の書き方［第2版］　　　　B5判　224頁
　　　　　　　　　　　　　　　　　　　　本　体 2500円

大谷信介ほか 編著
新・社会調査へのアプローチ　　　　　　　A5判　412頁
　　　　　　　　　　　　　　　　　　　　本　体 2500円

明石芳彦 著
社会科学系論文の書き方　　　　　　　　　四六判　210頁
　　　　　　　　　　　　　　　　　　　　本　体 2200円

藤田真文 編著
メディアの卒論［第2版］　　　　　　　　A5判　288頁
　　　　　　　　　　　　　　　　　　　　本　体 3200円

──────── ミネルヴァ書房 ────────
https://www.minervashobo.co.jp/